Sara Raba

LEONARDO DA VINCI

Vita e opere

II Edizione rivista e ampiata

SILBERMANN COMUNICAZIONE SRL - FIRENZE ITALY

Sara Raba

Leonardo da Vinci
II Edizione rivista e ampiata - Firenze 1996
PIXEL ART n.1
ISBN 88-86442-05-X

Foto di copertina: Disegno di Tommaso Ortino, tratto da una riproduzione di macchina per volare di Leonardo da Vinci. Si ringrazia la Sopraintendenza per i beni artistici e storici delle Province di Firenze Pistoia e Prato. Windows è un marchio registrato della Microsoft Corporation - Piccobello è un marchio registrato della Silbermann Comunicazione Srl.

Indice

Leonardo a Firenze

Firenze è la prima tappa di Leonardo. Vi arriva nel 1466, negli anni in cui Lorenzo de' Medici (1449-1492), detto il Magnifico, è il signore della città ed esercita il suo potere mantenendo una politica d'equilibrio tra gli stati italiani. Lorenzo è un uomo brillante, versatile, di grande cultura, con un vivo interesse per l'arte, artista lui stesso e grande mecenate. Sotto di lui Firenze vive un momento di grande splendore artistico ed economico.

Leonardo ha quindi l'occasione non solo di trascorrere gli anni della sua formazione nella "bottega" del Verrocchio, una delle più rinomate della città, dove lavorano anche il Botticelli e il Perugino, ma di respirare l'aria di una città cosmopolita, cogliendone appieno lo spirito e il fascino.

Quando Leonardo avrà terminato il suo tirocinio non sarà esperto solo nel disegno, ma avrà acquisito anche i primi rudimenti di quelle *ars mechanicae* che lo renderanno capace di progettare argini, ponti, macchine belliche e chiese.

In questo Leonardo è figlio del suo tempo, l'incarnazione dell'*uomo rinascimentale*. Non c'è quindi da meravigliarsi della vastità dei campi e degli studi che egli affronta, in perfetta sintonia con il clima dell'epoca, ma c'è da meravigliarsi della sua genialità e delle sue intuizioni, del suo essere artista e uomo straordinario.

Sono gli anni in cui la fortuna di Firenze non conosce rivali e il signore della città, il Magnifico, compone canzoni e poesie emblematiche: *Quant'è bella giovinezza / che si fugge tuttavia! / chi vuol esser lieto, sia:/ di doman non c'è certezza.*

Leonardo lavora, studia, si diverte e osserva. Quando lascerà la città alla volta di Milano, parte invitato come musico e maestro di feste, tornerà famoso dopo essersi affermato come pittore e uomo d'ingegno in tutti i campi dello scibile umano.

Gli anni a Milano

Gli studi sul cavallo per il monumento a Francesco Sforza appartengono in massima parte al periodo milanese.

Leonardo si trasferisce a Milano nel 1482, ma già precedentemente a Firenze aveva avuto l'occasione di incontrare Lodovico il Moro, signore di Milano. Fu probabilmente allora che Leonardo fece balenare a Lodovico l'idea di un enorme statua equestre in onore del padre Francesco Sforza, un monumento che non avrebbe avuto uguali in tutto il mondo (altezza più di 7 metri, per un peso di oltre 700 quintali). Il monumento non fu mai portato a termine, sebbene Leonardo ne avesse costruito anche un modello in gesso andato distrutto dopo otto anni a causa di eventi bellici.

La realizzazione dell'opera si inseriva nel tipico spirito rinascimentale, in quel culto dell'immagine della grandezza da lasciare alla posterità. L'artista doveva immortalare la gloria del principe o del signore committente affinché non fosse dimenticata la sua potenza e la sua magnanimità.

Leonardo, tuttavia, era un uomo troppo eclettico e troppo curioso, questa è sicuramente una delle ragioni per cui abbandona il lavoro commissionatogli dopo 16 anni di studi e prove.

Una volta esaudita la sua curiosità, risposto ai suoi enigmi, la pura realizzazione non lo interessava molto e preferiva dedicarsi a nuove esperienze. Come oggi dicono di lui in Francia: Leonardo da Vinci sognava di cambiare il mondo.

Il soggiorno milanese fu comunque fruttuoso: qui dipinse la *Vergine delle Rocce*, conservata al Louvre, e l'affresco dell'*Ultima Cena* nel refettorio del convento di Santa Maria delle Grazie.

Sempre a Milano dedicò molto tempo ai suoi studi tecnici e scientifici e particolarmente a quelli di idraulica, progettando pompe, scavatrici, macchine per dragare i canali, e studiando la possibilità di mettere in comunicazione Milano con il Lago di Como via acqua. Tutto questo fino a quando, con l'arrivo delle truppe francesi alleate con Venezia contro Milano, l'equilibrio e la pace durate molti anni cessano.

Leonardo si sposta prima a Mantova e Venezia poi ritorna a Firenze. Si reca successivamente in Romagna al seguito di Cesare Borgia, che lo ha nominato architetto e ingegnere militare del suo nascente Stato.

Leonardo a Roma

L'artista si trova nella capitale del regno temporale del Papa, ove si trasferisce su invito di Giuliano de' Medici, accompagnato da Francesco Melzi ed altri discepoli. A Roma egli porta avanti la sua indagine anatomica, riempiendo centinaia di fogli con studi di corpi sezionati.

Leonardo aveva sempre osservato e studiato il corpo dell'uomo e degli animali, con l'attenzione dell'artista che vuole riprodurre in quadri e monumenti il *vero* della natura.

L'interesse di Leonardo per l'anatomia umana e animale si rafforza intorno al 1513, quando finisce definitivamente il suo soggiorno milanese e l'artista conosce altri studiosi di medicina. L'attrazione per tale scienza raggiunge però il suo massimo a Roma, quando dall'osservazione a fini puramente estetici egli passa all'attività pratica.

Il lavoro era molto impegnativo. Leonardo partiva sempre dal presupposto dell'osservazione diretta, di conseguenza era costretto a lavorare, come egli stesso afferma, « ... nei tempi notturni in compagnia di tali morti squartati e scorticati e spaventevoli a vederli. »

Il compito di Leonardo non fu facile e gli anni romani non furono i più lieti. La sua attività non era vista di buon occhio in quanto da alcuni ambienti era considerata ai limiti della stregoneria, fu così che volontariamentc lasciò la città nel 1516 per recarsi con i suoi discepoli più fidati in Francia, su invito del re Francesco I. Qui prese dimora nel castello di Cloux presso Amboise.

Leonardo in Francia

In Francia Leonardo trascorse gli ultimi anni della sua vita. Vi arriva a 65 anni e ormai ha esplorato tutti i territori del sapere umano. Ma il genio di Vinci è sempre al lavoro, la produzione di progetti, disegni e manoscritti non si allenta.

Francesco I lo chiama ad organizzare le sue grandiose feste e Leonardo riesce ancora a stupire tutti inventando, per il trastullo del re e dei suoi cortigiani, l'antenato meccanico degli odierni robot. Il marchingegno venne presentato come "intermezzo" durante uno spettacolo, una novità assoluta che il re voleva offrire ai suoi numerosi ospiti.

Sulla scena appariva all'improvviso una tigre che, dopo un attimo di meraviglia e sbigottimento tra il pubblico, veniva squartata con un bastone da un monaco. Dal suo interno appariva lo stemma dei Valois, la casata di Francesco I.

Entrambi i personaggi erano due automi. Leonardo aveva applicato le sue conoscenze del moto a due fantocci creando una parvenza di vita e preannunciando, ancora una volta di almeno un secolo, l'uso delle macchine sulla scena teatrale.

Leonardo muore il 2 maggio 1519 nel castello reale di Cloux. Accanto a lui i fedelissimi che lo avevano seguito in Francia, il Salai e Francesco Melzi, che ne diverrà l'erede.

Il volo e la libertà

Fin dall'adolescenza Leonardo è un grande e appassionato osservatore della natura. È proprio questo attento studio, questa smania di annotare ogni cosa che lo colpisce, ad entusiasmarlo all'idea del volo del "grande uccello".

Le prime riflessioni sulla possibilità del volo iniziano a Milano, continuano poi a Firenze e lo impegnano fino agli ultimi anni della sua vita.

« Piglierà il volo il grande uccello sopra del dosso del suo mago Cecero [il monte Ceceri] empiendo l'Universo di stupore, empiendo di sua fama tutte le scritture e gloria eterna al nido dove nacque. »

Proprio partendo dall'osservazione della natura e delle piccole cose Leonardo elabora il suo metodo sperimentale e induttivo: egli infatti intuisce ben presto la funzione vitale dell'esperienza per arrivare alla conoscenza scientifica. Per Leonardo la pura scienza non aveva senso se non era preceduta dall'esperienza e dalla pratica.

Ma niente di meglio che spiegare il concetto con le sue stesse parole: « La scientia è il capitano, e la pratica sono i soldati. »

È questa la ragione della sua attenzione alle piccole cose del mondo, le uniche di cui l'uomo potesse avere una reale conoscenza grazie allo studio che a queste poteva dedicare. Ed in tal senso Leonardo è un precursore di quello studio del metodo che verrà poi elaborato compiutamente un secolo più tardi.

I Codici di Leonardo

Codice Atlantico

Il Codice Atlantico, conservato nella Biblioteca Ambrosiana di Milano, è la raccolta più ampia di fogli leonardiani, e abbraccia un lungo periodo di tempo, dal 1476 sino all'anno della morte (1519).

Vi sono conservati scritti e disegni di astronomia, matematica, meccanica, anatomia, chimica e ingegneria militare. Forse più di ogni altro il Codice Atlantico rileva il genio multiforme di Leonardo e la vastità di interessi cui egli si dedicava nei suoi studi.

La raccolta fu in un primo tempo acquisita dallo scultore Pompeo Leoni, grande collezionista di fogli e manoscritti leonardiani, che ne curò anche la sistemazione organica in volumi. Alla sua morte fu acquistato da una nobile famiglia lombarda che in seguito lo donò alla Biblioteca Ambrosiana.

Nel 1795, in seguito all'invasione napoleonica, il Codice prese la via di Parigi, per ritornare in Italia dopo il Congresso di Vienna del 1815.

Raccolta di Windsor

Si tratta di una ampia miscellanea di disegni che spaziano dall'anatomia allo studio dei ritratti, dalle raffigurazioni di paesaggi allo studio di alberi, fiori, cavalli e altri animali.

Anche questa raccolta fu in un primo tempo sistemata da Pompeo Leoni, i cui eredi la vendettero poi al conte di Arundel, grande appassionato d'arte. Verso la fine del XVII secolo entrò a far parte del patrimonio artistico della casa reale inglese.

Recentemente è terminato il lungo restauro del codice, completato dalla sistemazione dei fogli per temi e cronologia secondo lo schema ideato da Carlo Pedretti, grande esperto e appassionato studioso del genio di Vinci.

Codice Arundel

Raccolta di fogli che riguardano in modo particolare la matematica, ma comprendono anche studi di astronomia, ottica, fisica e architettura. Dell'insieme fanno parte anche gli appunti relativi all'allestimento teatrale della commedia Orfeo di Agnolo Poliziano, rappresentata a Milano nel 1506.

I manoscritti furono acquistati nel 1600 da Lord Arundel e donati poi dai suoi eredi alla Royal Society di Londra. Nel 1832 la raccolta passò al British Museum dove è tuttora conservata.

Manoscritti di Francia

Sotto questo nome sono compresi i codici che nel 1795 Napoleone fece portare da Milano alla Biblioteca dell'Institut de France, dove si trovano attualmente.

Si tratta di dodici taccuini di appunti di piccolo formato che, attraverso percorsi diversi, erano stati acquisiti, sin dal 1637, dalla Biblioteca Ambrosiana di Milano. Alla fine del '700, quando già si trovavano a Parigi, l'abate Giovan Battista Venturi, durante la catalogazione provvide ad identificarli con le lettere da A a M.

Di estremo interesse sono il manoscritto A, dove Leonardo tratta diffusamente di pittura, quello segnato con la lettera E, il cui tema centrale è il volo degli uccelli, e i manoscritti F e H, dove trova spazio uno dei temi preferiti dall'artista, l'acqua - *il vetturale della natura* - e i suoi movimenti.

Codici Forster

Si tratta di tre taccuini di appunti e disegni, compilati in prevalenza tra il 1490 e il 1505. I primi due trattano di geometria, fisica e meccanica, mentre il terzo è costituito da una miscellanea di note sugli argomenti più disparati, tra i quali, trovano posto anche allegorie, favole e ricette.

I Codici portano il nome del proprietario inglese che nel 1876 li lasciò in eredità al Victoria and Albert Museum di Londra, dove sono tuttora conservati.

Codice sul volo degli uccelli

Dopo l'arrivo dei francesi a Milano e la fuga del Moro, Leonardo rientrò a Firenze dedicandosi metodicamente allo studio del volo degli uccelli. In questa raccolta, che faceva parte della donazione Arconati alla Biblioteca Ambrosiana di Milano, troviamo le sue minuziose riflessioni in materia, accompagnate dagli studi di fisica e meccanica che preparavano la costruzione della famosa macchina per volare.

Il manoscritto fu trasferito da Napoleone a Parigi, nella Biblioteca dell'Institut de France. Fu poi sottratto dal matematico Guglielmo Libri, il quale ne staccò alcune pagine per venderle separatamente. Dopo alterne vicende il Codice fu ceduto al collezionista russo Teodor Sabachnikoff, il quale nel 1893 lo donò ai Savoia che, recuperate le pagine mancanti, lo fecero collocare nella Biblioteca Reale di Torino, dove è oggi conservato.

Codice Trivulziano

Questa raccolta, i cui fogli vengono datati al 1487-1490, contiene in gran parte gli appunti redatti da Leonardo durante lo studio intensivo della lingua latina, da lui intrapreso per poter leggere correntemente le opere di umanisti e scienziati nella loro lingua originale.

Il codice fu acquistato nel 1750 dal principe Trivulzio, per passare nel 1935, con tutto il corpus del fondo trivulziano alla Biblioteca del Castello Sforzesco di Milano.

Codici di Madrid

Si tratta di due volumi appartenuti anch'essi a Pompeo Leoni ed entrati poi in possesso della Corona spagnola nel XIX secolo. Inseriti nel catalogo della Biblioteca Reale di Madrid, vi rimasero irreperibili per oltre un secolo, pare per un errore di trascrizione della segnatura, che ne occultava il collocamento. Poi nel 1966 la notizia del casuale ritrovamento, seguita nel 1973 dalla pubblicazione in facsimile.

Nel primo libro l'argomento trattato più diffusamente è la meccanica, teorica e applicata, mentre il secondo contiene per la maggior parte disegni di architettura e ingegneria militare, databili tra il 1503 e il 1505.

Insieme ai codici nella Biblioteca Nacional di Madrid è conservato un quadernetto di appunti riguardanti la fusione della statua equestre a Francesco Sforza, commissionata a Leonardo da Lodovico il Moro e mai andata oltre il modello in creta, per il repentino arrivo dei francesi a Milano.

Codice Hammer

Forse il più celebre dei codici di Leonardo, e certamente quello che ha mosso le più notevoli quantità di denaro nei suoi vari trasferimenti, il codice Hammer è anche l'unico ad essere rimasto di proprietà privata.

Si ritiene che nel 1537 la raccolta fosse già in possesso dello scultore Guglielmo della Porta, e quindi non facesse parte dei fogli ereditati all'origine dal Melzi. Nel 1717 fu acquistato per una somma ingente da Thomas Coke, conte di Leicester, e da questi trasferito in Inghilterra.

Nel 1980 venne assegnato, durate un'asta miliardaria, al petroliere americano Armand Hammer, cambiando nuovamente collocazione, questa volta al di là dell'Atlantico. Nella recente asta del 1994 è stato acquistato (per svariate decine di miliardi) dal boss dell'informatica Bill Gates, fondatore della Microsoft.

Il tema centrale dei 36 fogli che lo compongono è l'acqua, i suoi movimenti e le modificazioni che il suo corso provoca alla superficie terrestre. Alcuni disegni riguardano l'astronomia e in particolare l'illuminazione del Sole, della Terra e della Luna.

Il ritratto di Monna Lisa

La *Gioconda*, considerata il compendio di tutte le conoscenze di Leonardo in campo artistico e scientifico, veniva in passato datata attorno al 1505, oggi si ritiene sia stata iniziata alcuni anni più tardi. Anche la notizia del Vasari circa l'identità della gentildonna ritratta, che ha reso celebre nel mondo il quadro col nome della sua casata, è stata in seguito confutata.

Fondamentale è ritenuta la testimonianza di un contemporaneo, Antonio de Beatis, il quale sostiene di aver visto il dipinto nello studio francese di Leonardo, e di aver udito trattarsi del ritratto di una donna fiorentina, eseguito su commissione di Giuliano de' Medici.

Più volte si è fatta l'ipotesi che Leonardo abbia ritratto una donna incinta, e questo non tanto per l'espressione dolce ed enigmatica del volto, quanto per l'insieme stesso del quadro, per quella sorta di cosmogonia universale che sempre nell'arte e nella ricerca di Leonardo accomuna la vita dell'uomo a quella della natura. Non siamo molto lontani dall'interpretazione di Freud, secondo il quale la *Gioconda* è un ricordo della madre, da cui fu forzatamente separato per la sua origine illegittima.

Il più celebre quadro di Leonardo, forse il più popolare quadro di tutti i tempi, è il capolavoro indiscusso dell'artista. Leonardo non si separa mai dalla tela che resta sua fino alla morte.

Correvano tempi difficili, con continui cambiamenti di governi e di poteri. Gli artisti erano rispettati e protetti dai re e dalle repubbliche ma dovevano continuamente riproporre e riconfermare le loro capacità artistiche. Da accorto conoscitore degli uomini, Leonardo sa bene che la vista del quadro gli apre molte più porte che la presentazione dei suoi appunti scientifici.

Leonardo è legato al ritratto di Monna Lisa da un doppio legame: gli piace quel suo capolavoro irripetibile e nel contempo lo usa come book per dimostrare il suo valore.

Quale stato d'animo rappresenti il volto della figura e quale pensiero passi per la sua mente è un interrogativo che molti si sono posti e che ha ricevuto tante risposte. L'importante per l'artista è proprio questo: riuscire a rappresentare l'essere umano sulla tela con tale verosimiglianza che l'osservatore si inquieti come davanti a una persona viva a cui non sa trasmettere reazioni emotive.

Per ottenere questo risultato Leonardo impiega tutta la sua esperienza nel trattare la luce, la prospettiva, il colore e la conoscenza dell'anatomia umana.

Leonardo dipingeva a mente, pensava per ore o giorni al quadro, al particolare, poi realizzava, ripensava, correggeva. La tecnica che più si evidenzia nel quadro è quella dello sfumato. Attraverso una serie continua di gradazioni, i contorni della figura e degli oggetti sullo sfondo non sono assolutamente delineati e con questo ogni immagine del quadro si muove con le altre. Ombre e penombre circondano il punto di luce centrale in modo da lasciare al nostro occhio il compito di completare l'immagine.

Anche la prospettiva è usata sapientemente per dare movimento, basta osservare come la parte destra del quadro ha un punto di orizzonte più alto di quello di sinistra. La ricchezza di particolari dello sfondo e delle mani in primo piano, completano il movimento e l'apparente vitalità inquietante.

Il risultato piace o non piace, ma è impossibile non parlarne, non averlo presente, non ricordarlo. Questo Leonardo voleva.

Il dipinto è oggi conservato al Museo del Louvre di Parigi.

Il Cenacolo

Negli anni precedenti alla realizzazione dell'*Ultima Cena*, Leonardo si era dedicato intensamente all'osservazione della figura umana, studiando in modo particolare l'atteggiarsi del volto e delle mani, lo stato d'animo espresso con un moto qualsiasi del corpo.

L'animata riunione raffigurata nel grande affresco è in un certo senso la sintesi dei tanti personaggi da lui disegnati. In un insieme perfettamente scenografico, possiamo quasi vedere il movimento degli Apostoli (accentuato dalla rapida prospettiva) che a gruppi di tre esibiscono sentimenti ed emozioni affatto diverse, ma tutte riconducibili al centro della narrazione, il Cristo che indica il pane e il vino.

Un noto studioso di Leonardo, Carlo Pedretti, ha molto acutamente osservato che in quest'opera l'artista applica alla pittura il linguaggio proprio dell'arte cinematografica.

Purtroppo lo splendore iniziale del *Cenacolo* cominciò rapidamente a guastarsi (già all'inizio XVI secolo si lamentavano danni piuttosto estesi), a causa dell'umidità che aggrediva il muro provocando crepe e distacchi della pittura.

Dopo parecchi infruttuosi tentativi di fermare il degrado e restituire l'antica bellezza, il recente restauro ha restituito ai visitatori la possibilità di ammirare abbastanza da vicino la grande opera di Leonardo, che rimane la testimonianza più importante del suo proficuo soggiorno milanese.

Leonardo ingegnere

Leonardo è un genio universale o meglio una mente universale. Questa opinione ormai diffusa e accettata si conferma grazie all'elevato numero di fogli contenenti studi, disegni, schizzi e appunti che Leonardo ci ha lasciato. Genialità e curiosità sono le doti necessarie per lo studio, la fede nell'esperienza e l'osservazione dei fenomeni che accadono intorno a noi, sono alla base di quel metodo induttivo di cui Leonardo è precursore.

Sappiamo che Leonardo entra nella bottega del Verrocchio nel 1470 circa. Pur essendo un giovane brillante e creativo per indole, la scuola del maestro gli è necessaria per un'impostazione più ordinata e razionale del suo pensiero. In tali "botteghe", infatti, si impara di tutto: tecniche di lavorazione e fusione dei metalli, la lavorazione del legno e del cuoio, l'idraulica per le fontane, la scultura, la pittura, ecc. Quella del Verrocchio è fra le più in della città. Egli stesso è un uomo colto che frequenta i salotti mondani e culturali e incontra e conosce personalmente alcuni fra gli artisti più brillanti dell'epoca.

La smania di sapere e la voglia di cimentarsi nei campi più svariati è la caratteristica principale del "nuovo" artista rinascimentale. Nella sua continua ricerca però egli è costretto a confrontarsi con problemi di ordine pratico e tecnico. La conoscenza della matematica è obbligatoria per chi voglia intraprendere studi di ingegneria perché questa è sovente la chiave per la soluzione di problemi tecnici e pratici. Leonardo apprende il calcolo algoritmico dal Verrocchio e ben presto quindi si afferma come discepolo capace in ogni sorta di lavori.

Già nel 1478 Leonardo ha il compito di studiare la possibilità di sollevare il Battistero di Firenze per aggiungervi un basamento con dei gradini, senza alterarne la struttura. Fino al 1482 poi le notizie sull'opera ingegneristica di Leonardo sono scarse. Si può supporre che egli abbia approfondito le sue conoscenze e abbia letto i trattati pubblicati in quel periodo: Valturio, Taccola e Francesco di Giorgio Martini. Risalgono infatti a questi anni i suoi primi disegni tecnici.

Il 1482 è anche l'anno in cui Leonardo si reca a Milano, chiamato da Lodovico il Moro, signore della città, in qualità di fonditore e scultore. A Lodovico Leonardo invia una lettera di presentazione, che figura nel Codice Atlantico, nella quale elenca tutto ciò che è in grado di fare come ingegnere. Da ora in poi l'attività principale del grande fiorentino sarà legata all'ingegneria in ogni sua applicazione (bellica, militare, idraulica, meccanica, ecc.).

La grande notorietà delle "macchine", inventate progettate e disegnate da Leonardo, non va confusa con la paternità originale delle sue scoperte. Molte di esse erano già note sino dai tempi dell'antica Grecia e molte erano contemporaneamente oggetto di studi da parte di altri ingegneri dell'epoca. Bisogna però considerare l'insieme dell'opera di Leonardo per comprendere bene la sua importanza.

Durante il Medioevo lo sguardo dell'uomo era lontano dalle cose terrene. Il mondo delle materia era natura creata da Dio. Ogni spiegazione dava per scontata la natura divina delle cose terrene. Le energie naturali e quelle dell'uomo erano le sole protagoniste delle vita pratica di tutti i giorni.

L'uomo guardava intorno a se e si sentiva "creato" come essere superiore alla natura e questo gli bastava per sentirsi meglio e fiducioso del suo destino. Gli oggetti con cui lavorava e che usava quotidianamente erano fatti tutti di elementi naturali, anche se lavorati variamente dall'uomo. L'artificiale non ha senso, l'uomo inventore era per i più un paradosso. Se la "creazione" è divina, l'invenzione non può essere che negativa o peggio diabolica.

Leonardo non la pensa così. L'uomo per lui può dipingere, scolpire, riprodurre con i suoi mezzi anche la natura, deve studiarne il funzionamento, cercare di rifarla, migliorarla. L'immutabile ordine biblico della creazione può essere liberamente indagato dall'uomo che cerca di comprendere la natura come insieme di elementi. In questo l'artista è influenzato profondamente dai risultati delle letture dei testi degli scienziati dell'antica Grecia, che in quegli anni si andavano traducendo e riscoprendo.

I trattati greci erano stati scritti prima della diffusione del Cristianesimo e pertanto liberamente indagavano ogni aspetto della natura, lasciando al divino solo i fini ultimi. La religione dell'antica Roma e il

Cristianesimo, ponevano una specifica divinità, poi un unico Dio dietro ogni piccolo o grande evento umano o naturale.

Leonardo pensa sì ad una lontana ed imperscrutabile regia divina, ma crede nelle possibilità dell'uomo. Conosce il progresso tecnico avvenuto lentamente tra l'anno 1000 e il 1400: bussola, mulini ad acqua e a vento, aratri e ingranaggi, la stampa, ecc. Non si fida di nulla se non è in grado di verificarlo con l'esperienza diretta. Rigetta tutto quello che è ricopiatura passiva o che è dato per vero senza dimostrazione. Le scoperte degli altri vengono vagliate, riviste e rifatte. È un inventore puro.

Non ci deve stupire la sua produzione enorme in campi diversi. La mancanza di rigore metodologico con cui sino ai suoi tempi si era proceduto, rendono necessaria le risistemazione di tutte le esperienze e conoscenze. Come in uno stato di eccitazione, Leonardo indaga scientificamente l'anatomia dell'uomo e il volo degli uccelli, i fossili sui monti e i canali artificiali, la vite e il carro armato.

La fama di Leonardo deriva proprio dal suo metodo rigoroso, basato sull'esperienza, ma anche dalla sua eccellente capacità artistica. Anche agli occhi dell'incredulo, di chi negava alla nuova scienza la possibilità di spiegare o modificare la "creazione" divina, appariva impossibile negare capacità all'autore della *Gioconda*. La sua credibilità presso i contemporanei, e la stampa che in quei tempi per la prima volta servì anche a moltiplicare la fama degli artisti, ne hanno fatto un simbolo.

Ancora oggi qualcuno pensa a lui come ad un misterioso indovino che anticipò aereo e elicottero, carro armato e palombaro, automi e macchinari industriali. Niente di più sbagliato. Umilmente e diligentemente, Leonardo ha pensato e lavorato con metodo a quella parte del pensiero umano che, partendo da uno 0 ed un 1, ti porta a leggere queste note sui fosfori del monitor che hai davanti. Anche l'inventore del sistema che stiamo usando ha acquistato, in concorrenza con musei e collezionisti, un Codice scritto da Leonardo. Si è comprato un rimando, un aggancio al mito scientifico di Leonardo, per segnare la continuità del tracciato.

Peraltro oggi è normale considerare la natura come oggetto principale dell'indagine scientifica, anzi le parti si sono invertite. Ora tendiamo nuovamente a proteggere la natura dalle insidie della ricerca in quanto molti temono gli effetti perversi degli atomi, delle biotecnologie, dei mondi virtuali. Questi pensieri, vicini all'ansia creativa di Leonardo ci portano nel mondo della politica che con lui fu invece generosa e lo lasciò libero di scrivere e fare.

L'organizzazione del potere solo qualche decennio dopo la sua scomparsa cercò con l'arma della Controriforma di incanalare la rinata creatività dell'uomo, ma era ormai troppo tardi.

Leonardo e l'arte della guerra

Leonardo in questo campo si inserisce in una antica nonché illustre tradizione (fra i nomi più celebri, Archimede da Siracusa) che affonda le sue radici in tempi lontani, rispettando la consuetudine dell'epoca e mettendo la sua genialità e la sua conoscenza al servizio del signore committente. Come ogni buon ingegnere, egli si cimentò in progetti di rinnovamento di vecchie macchine belliche e nell'invenzione di nuove.

La battaglia ai tempi di Leonardo era campale, d'assedio o di logoramento e comprendeva l'uso sempre più massiccio dei cannoni e dei fucili a palla. La diffusione del cannone comportò una serie di problemi di non facile soluzione. L'alzo assunse importanza fondamentale nel momento in cui la precisione di tiro comincia a migliorare. Il sistema a cremagliera fin qui usato è limitato, non consente che alcune posizioni fisse, Leonardo studia ed elabora il sistema di puntamento a vite che permette di influire maggiormente sulle traiettorie, cosa che poteva risultare decisiva nelle grandi battaglie campali.

Inoltre, avendo realizzato l'insufficienza dei proiettili tradizionali verso obiettivi in movimento, ideò palle esplosive che si frantumavano dopo l'impatto provocando micidiali schegge. Leonardo progettò anche equipaggiamenti per navi da guerra, come il circumfolgore, una piattaforma rotante munita di 16 cannoni, facilmente manovrabile anche da un solo uomo, che assicurava un impressionante volume di fuoco.

Dall'uso massiccio del cannone derivò la necessità di adeguare le fortificazioni. Nel Medioevo le fortezze erano costruite avendo come unico scopo quello della inviolabilità, alte mura merlate costruite spesso in luoghi di difficile accesso e dove fosse comunque complicato trasportare ingombranti macchine da guerra. Ma con l'introduzione del cannone tutto questo perde importanza se non si possiedono simili armi anche per difendersi.

Con Leonardo, e prima di lui con Leon Battista Alberti e Giuliano da Sangallo, comincia a mutare l'architettura delle fortezze, c'è una generale tendenza all'abbassamento delle strutture e all'adozione delle forme bastionate, le sole in grado di sopportare il peso delle numerose artiglierie necessarie alla difesa. Leonardo in particolare si occupò di studiare adeguati piani di tiro per le batterie da fuoco, in modo da abbracciare la più vasta area possibile senza zone morte, e, nello stesso tempo, offrire minor visibilità al nemico.

La trasformazione dell'arte della guerra comportava anche un maggiore applicazione sulla balistica: i disegni di Leonardo mostrano come egli abbia studiato le traiettorie di un tiro parabolico e di un tiro teso, e le infinite variabili collegate alla precisione di questi.

Armi e macchine belliche

La balestra

La balestra era una tradizionale arma da battaglia usata per lanciare frecce. Leonardo ne progetta vari tipi, tenendo conto delle più recenti esigenze militari.

Balestra a fuoco rapido. Si tratta di una balestra collegata ad una grossa ruota. L'arciere seduto nel mezzo di questa grande ruota deve soltanto lanciare frecce dopo aver puntato attraverso il mirino. Questo marchingegno consentiva maggior precisione di tiro e un incremento della velocità di lancio.

Balestra multipla. È costituita da un apparato ruotante per il caricamento delle balestre. Simile alla precedente quest'arma presenta il vantaggio di avere più balestre attaccate alla ruota, anziché una sola. La macchina è quasi completamente automatizzata, in modo da richiedere un solo uomo per azionarla.

Balestra gigante. Ha un'apertura di 24 metri ed è montata su una struttura a ruote lunga circa 20. Nel disegno del Codice Atlantico sono illustrati in dettaglio il meccanismo a vite necessario a tendere la lunga corda e le leve per il rilascio del proiettile.

La catapulta

La catapulta è sicuramente uno degli ordigni più antichi nella storia delle armi. Quella disegnata da Leonardo è una macchina azionata da corde ritorte o da una grossa molla per lanciare pietre.

Carri da battaglia e da assalto

Le invenzioni di Leonardo in questo campo sono svariate e tutte molto fantasiose. Vediamone due tra le più originali.

Carro a falciatrice. È un carro d'assalto dotato di grandi falci ruotanti intorno a un perno. Si trattava di risolvere il problema del movimento.

Leonardo pensa ad una soluzione in cui gli uomini stanno al riparo guidando una sorta di ingranaggi. L'alternativa poteva essere quella di far trainare il carro da cavalli, ma questa soluzione si rivela inadatta in quanto gli animali potrebbero farsi cogliere dal panico.

Carro d'assalto con cannoni. Nella forma ricorda una tartaruga dotata di cannoni in tutte le sue parti. Il disegno mostra anche la parte inferiore interna di questo carro: quattro ruote che dovevano essere azionate per il movimento da otto uomini.

Carri e tecniche da assedio

Per l'assedio alle mura di una città, Leonardo progettò un carro a ruote interamente coperto, dotato di un ponte (anch'esso coperto) che poteva essere abbassato direttamente sulle mura, permettendo ai soldati di passare indenni attraverso le difese degli assediati.

Leonardo ideò anche numerosi tipi di scale mobili che potevano essere facilmente trasportate e montate dalle truppe. Particolarmente efficace poteva dimostrarsi un tipo di scala montata su un meccanismo a cremagliera che permetteva di alzarla e abbassarla rapidamente, evitando che gli assediati riuscissero a neutralizzarla.

Sempre allo stesso scopo, creare un passaggio che non possa essere sfruttato dal nemico, ideò un ponte sospeso a una sola arcata, che, ruotando su un perno fisso, poteva essere sistemato su una sola riva del fiume.

Idraulica e idrologia

L'idraulica fu uno dei temi scientifici preferiti da Leonardo. Fin da giovane era rimasto colpito dalla complessità del moto delle acque e dalla possibilità di modificarlo secondo le esigenze specifiche dell'uomo.

Egli cominciò allora a studiare il corso delle acque, ad analizzare la formazione del letto dei fiumi, le sinuosità e i meandri creati dalla corrente, intuisce per primo le cause e gli effetti della diversa velocità di scorrimento al centro e ai lati di una via d'acqua. Il suo lavoro in campo idrologico non ha tanto lo scopo di creare una "scienza" fatta di leggi astratte, quanto quello di verificare le immediate applicazioni pratiche di quanto andava via via accertando.

Leonardo non si limita, in questo come in altri settori, ad osservare attentamente la natura, ma compie simulazioni con modelli da lui appositamente progettati. Per comprendere appieno i movimenti profondi delle acque, ad esempio, costruì canali con le pareti trasparenti e vi fece scorrere acque colorate, i cui flussi erano in tal modo facilmente osservabili, lo stesso metodo utilizzò per studiare le cascate e i vortici. Il suo lavoro, scrisse più volte, è simile a quello del medico, che analizza le patologie per prevenire i mali.

Leonardo si occupa anche di ingegneria idraulica, materia in cui era più facile eseguire misurazioni e trasformare l'osservazione in formule matematiche. Gli studi sulle cascate e sui moti vorticosi delle acque gli permisero di formulare e sviluppare i problemi relativi al movimento delle ruote dei mulini e al disegno delle pale.

Alcuni progetti e realizzazioni di Leonardo in questo settore:

Bonifica della Lomellina e regolamentazione del corso dei canali del novarese.

Costruzione dei canali intorno a Milano (1498).

Progetto di chiuse sull'Isonzo, per inondare le vie d'accesso a Venezia in caso di invasione turca (1499).

Porto di Cesena (1502).

Deviazione e canalizzazione dell'Arno (1503-1506).

Regolamentazione dell'Adda, per rifornire d'acqua il canale della Martesana.

Bonifica delle paludi pontine, con deviazione del Portatore e dell'Amaseno.

Regolamento del canale che congiunge la Loira con Tours (1516) e bonifica delle paludi di Sologne.

Feste e spettacoli

Nelle Corti rinascimentali più brillanti, le feste e le rappresentazioni "profane" erano uno degli eventi in cui si misurava la generosità e la magnificenza del Principe. I grandi facevano a gara per offrire spettacoli sempre più sfarzosi ad ospiti e cortigiani, spettacoli, che nei loro complicati e grandiosi rituali, fossero testimonianza di munificenza e splendore.

Leonardo era quindi ricercato dai signori rinascimentali anche per le sue capacità nel costruire automi spettacolari, nel creare sceneggiature in movimento e giochi d'acqua, nell'ideare le scenografie più bizzarre.

Nel 1490 venne nominato scenografo della sontuosa festa (la "Festa del Paradiso") organizzata per le nozze di Gian Galeazzo Sforza con Isabella d'Aragona. Per l'occasione Leonardo costruì una complicata macchina che rappresentava il sistema planetario e i suoi movimenti: ogni volta che un pianeta si avvicinava alla sposa del giovane duca Isabella, il dio che lo abitava, si sporgeva fuori dalla sua sfera e cantava alcuni versi scritti per l'occasione dal poeta di corte Bellincioni.

E quando Luigi XII entra trionfalmente a Milano, Leonardo allestisce complicati automi che rendono omaggio al corteo reale durante la sfilata per i viali cittadini.

Intorno al 1506 Leonardo realizza una scenografia mobile per la rappresentazione dell'*Orfeo* di Agnolo Poliziano. Si tratta di un meccanismo dotato di saliscendi a contrappesi, che permette all'attore che impersona Plutone, dio dell'Inferno, di emergere al centro della scena mentre la montagna attorno a lui lentamente si apre.

Alcuni anni fa il dipartimento di teatro dell'Università della California, attenendosi ai disegni originali, ne ha realizzato un modello perfettamente funzionante.

Un piccolo esempio, può servire a dimostrare quanto fosse richiesto non solo e non tanto per le sue qualità artistiche, ma per il suo geniale eclettismo, che gli permetteva di cimentarsi con successo nei campi più disparati.

Lodovico Sforza era amante della musica e in particolare del suono della lira, che era in grado di ascoltare per ore senza stancarsi. Leonardo allora, per presentarsi a lui con un omaggio adeguato al nome, fabbricò una lira in argento, dalla forma bizzarra a teschio di cavallo, e dal suono particolarmente armonioso e cristallino.

Vasari ci racconta che durante uno spettacolo a Corte, il genio di Vinci si esibì con il suo strumento « ... e superò tutti i musici, che quivi erano concorsi a sonare.»

La meccanica

Il problema relativo agli ingranaggi e alla trasmissione del movimento era già stato ampiamente analizzato da Francesco di Giorgio, ma Leonardo vi aggiunge la propria particolare sensibilità per la risoluzione degli inconvenienti laddove questi si verificano.

Leonardo ha lasciato molti splendidi disegni sull'argomento, che dimostrano come egli abbia cercato un metodo per evitare gli inconvenienti legati al consumo di energia e al rapido logoramento delle macchine, focalizzando ad esempio l'attenzione sulla forma e la posizione dei denti.

La stabilità delle macchine è un altro dei problemi di cui si occupa, concepisce quindi ingranaggi a molle elicoidali, che assicurano maggiore continuità al movimento delle ruote dentate.

Studiando la trasformazione del movimento, si spinge fino all'ideazione di un meccanismo in grado di mutare i rapporti di trasmissione per mutare la velocità del sistema (alle origini di quello che oggi chiamiamo "cambio di velocità").

Le macchine per l'industria

Nella seconda metà del secolo XV cresce enormemente l'interesse per la meccanica, di pari passo con le accresciute esigenze della produzione industriale; gli ingegneri vengono chiamati a risolvere il problema della meccanizzazione di azioni prima normalmente eseguite dall'uomo.

In questo campo svariati sono i disegni di Leonardo, alcuni originali altri che sono rielaborazione e sviluppo di precedenti intuizioni. Nei suoi fogli troviamo, tra l'altro, il progetto della macchina per lavorare il metallo, e quello della macchina per intagliare le viti in legno, oltre a vari tipi di maglio idraulico (i primi rudimentali prototipi avevano fatto la loro comparsa due secoli prima) e alla macchina per pulire e levigare gli specchi, sia con superficie piana che curva.

Leonardo si occupò ancor più a fondo dell'industria tessile, che a quei tempi era in forte espansione sia in Lombardia che in Toscana. I suoi progetti di macchine per tessere provano a risolvere alcuni dei problemi più comuni che si presentavano in questo campo, anche se alcune delle soluzioni prospettate (come il filatoio completamente automatico) erano di difficile realizzazione.

Appartengono a questo settore anche le macchine per cardare e cimare i panni, di cui Leonardo ha lasciato una serie di disegni molto dettagliati.

ENGLISH

Table of Contents

Leonardo in Florence

Florence was where Leonardo first went after leaving Vinci. He arrived in the city in 1466, when Lorenzo de' Medici (1449-1492), called *Il Magnifico*, was lord of the city.

A brilliant and versatile man with a broad humanistic education, Lorenzo - himself and artist and poet - was a generous patron of art and literature. Under Lorenzo's rule, Florence reached the height of artistic grandeur.

Leonardo thus had the possibility of spending the years of his apprenticeship, not only in the *bottega* of Verrocchio, one of the most renowned in the city and also frequented by Botticelli and Perugino, but of living in a one of the greatest cosmopolitan cities of his time. When Leonardo finished his apprenticeship, he was already an excellent painter and had also acquired the basis of the ars mechanicae that were to enable him to design embankments, bridges and churches.

In this sense Leonardo is a man of his age, the personification of the "Renaissance Man". One should not be surprised by the broad spectrum of his interests, perfectly in keeping with the spirit of the times, but by his genius and the intuitions that made him an such an extraordinary artist.

These were the years in which Florence had no rivals in art and Lorenzo the Magnificent, lord of the city, was writing emblematic songs and poems such as the famous: *Quant'è bella giovinezza / che si fugge tuttavia! / chi vuol esser lieto sia: / di doman non c'è certezza.*

Leonardo worked, studied, and enjoyed himself. When he set out for Milan, he had been invited there as a musician and master of ceremonies; when he returned he was already famous for excelling in every field of human knowledge.

His Years in Milan

Leonardo's study of horses during his time in Milan was induced efforts to design and build a great equestrian statue in memory of Francesco Sforza.

Leonardo went to Milan in 1482, but had already had the to meet the Duke of Milan, called Ludovico the Moor from his dark complexion, in Florence.Leonardo had probaly already conceived his idea of a colossal monument in memory of Francesco, father of Ludovico. The statue was to be seven metres high and weigh seventeen-hundred pounds, unrivalled in the world.

This monument was never built, though Leonardo created chalk model (which was destroyed eight years later, during the French occupation of Milan).

Such an enormous undertaking was typical of the Renaissance lord's wish for an image of grandeur to be left to posterity. The artist was required to immortalise the glory of the Prince who had ordered the work and wished for his power and magnanimity to be remembered. Leonardo, however, was too eclectic and curious to devote himself to a single project, which was certainly the reason why he abandoned the work after sixteen years of study and experiments.

Once Leonardo had satisfied his curiosity and answered his own questions, he lost interest in the actual execution of a project and preferred to devote himself to new experiences. A French proverb says that Leonardo dreamed of changing the world.

His stay in Milan was, however, fruitful in artistic terms: he painted the *Virgin of the Rocks*, which is now in the Louvre, and the fresco of the *Last Supper* in the refectory of the Milanese convent of Santa Maria delle Grazie.

While in Milan, Leonardo also devoted much time to technical and scientific considerations, especially in the field of hydraulics. In particular, he studied the possibility of building a canal to link Milan to the Lake of Como.

Leonardo's stay in Milan ended with the occupation of the city by France, an act that effectively ended the balance of power that had brought peace and prosperity to Italy for many years. Leonardo went first to Mantua and Venice. He then returned to Florence and subsequently was employed by Cesare Borgia in Romagna.

His Roman Sojourn

Leonardo moved to Rome - capital of the temporal power of the Pope - on the invitation of Giuliano de' Medici and was accompanied by Francesco Melzi and other disciples.

During his stay in the Eternal City, Leonardo continued his anatomical experiments and filled his notebooks with studies of dissected corpses. Leonardo had always observed and studied the bodies of men and of animals, with the eye of an artist who wishes to reproduce the reality of nature in his works.

Leonardo's interest in anatomy increased around 1513, when he began to meet other researchers, and reached its peak during Leonardo's time in Rome, when his focus shifted from art to science. Leonardo noted that he was forced to work *nei tempi notturni in compagnia di tali morti squartati e scorticati e spaventevoli a vederli* (at night, in the company of corpses, quartered and skinned; a frightful sight).

These experiments were unpleasant and Leonardo's Roman years were unhappy. His activities, considered on the verge of witchcraft, were disapproved of and, in 1516, Leonardo voluntarily left the city to move, together with his closest collaborators, to France, where, on the invitation of King Francis I, settled in the castle of Cloux in Ambois.

Leonardo in France

Leonardo spent the last years of his life in France. He arrived there when he was 65 and had already explored every field of knowledge possible.

Leonardo was, however, tireless and, at the court of king Francis I, he designed the forefathers of today's robots and a new form of entertainment, an intermezzo to amuse the Royal Court: a tiger appeared on stage and, after gasps of surprise from the spectators, was struck dead by a monk, who slit its stomach to reveal the coat-of-arms of the King's family, the Valois, inside.

Both the tiger and the monk were, in effect, robots.Leonardo had applied his knowledge of motion to create an illusion of life, anticipating the use of stage machinery by over a century.

Flight and Freedom

Leonardo was a keen observer of nature. His careful study and his mania of taking notes on anything which struck his fancy him was what convinced of the possibility of the "big bird".

His first reflexions on flying began in Milan and continued in Florence, interesting for the rest of his life.

"The big bird will fly," he wrote, "over Mount Ceceri, filling the universe with wonder, filling every book with its fame and the nest where it was born with eternal glory."

Starting from his observation of nature, Leonardo elaborated his inductive experimental method and soon realized the vital function of experience to achieve scientific knowledge. For Leonardo, pure science had no meaning if not preceded by experience and practice.

No words better than his own can explain this concept: "Science is the captain, practice the soldiers."

From this principle was born his attention for the details of nature, the only facets of life that man could completely understnad, thanks to the study he could devote to them. In this sense, Leonardo was a forerunner of scientific methods that would be fully a century later.

The Portrait of Mona Lisa

The *Mona Lisa,* considered the sum of Leonardo's knowledge of art and science, was originally thought to have been painted in 1505. Modern scholars now think that it was begun a few years later; Vasari's identification of the noblewoman portrayed is also considered erroneous.

Antonio de Beatis (a contemporary of Leonardo), claimed, in fact, to have seen the painting in Leonardo's French studio and to have heard the artist say that it was a portrait of a Florentine woman commissioned by Giuliano de' Medici.

It has often been suggested that the woman portrayed is pregnant, not only because of the gentle and enigmatic expression, but because the entire painting symbolises the universality link that Leonardo saw between man and nature. This is similar to Freud's view that the *Mona Lisa* was a remembrance of Leonardo's mother, from whom he was forcibly separated on account of his illegitimate birth.

Possibly the best known work of art in the world, the *Mona Lisa* is Leonardo's most popular painting. It was also his masterpiece and remained in Leonardo's possession until his death. The Renaissance, after all, was a period with continuous changes of government and power; though artists were respected and protected by both Kings and Republics, they also had to continuously search for new patrons.

Leonardo, who understood mankind, knew that his talent for painting opened him more doors than his knowledge of science; he was not only was he proud of his artistic masterpiece, but he used it as a showcase to demonstrate his skill.

What emotions are represented by Mona Lisa's expression and what thoughts pass through her mind are questions often asked.Leonardo's intention was precisely this: to recreate a personality on canvas so perfectly that observers react to the portrait with same emotions they would have in front of the real person.

To obtain this result, Leonardo used his great knowledge of light, perspective, colour and human anatomy. Leonardo first painted in his mind and would put an image to canvas only after thinking about it for hours or days.

The techniques that he employed to greatest effect in the *Mona Lisa* were shade and nuance: the outlines of the subject and of the figures in the background are not clearly sketched, but defined through a continuous graduation of colours.

Shadows and half-light surrounded the central figure in such a way as to leave our eye to complete the painting. Perspective is also used to give the painting movement (the horizon on the right side of the painting, for example, is higher than that on the left). The richness of detail in the background and the exquisite depiction of the hands in the foreground complete the picture's movement and disquieting vitality.

The painting may be liked or disliked, as Leonardo intended, but it cannot be ignored or forgotten. The *Mona Lisa* is today in the Louvre in Paris.

Leonardo's Manuscripts

Codex Atlanticus

The Codex preserved in the Ambrosiana Library of Milan - the longest manuscript of Leonardo still in existence - embraces a long period of time, from 1476 until the year of his death (1519) and includes writings and drawings regarding astronomy, mathematics, mechanics, anatomy, chemistry and military engineering. More than any other document, it reveals Leonardo's polymorphic genius and vast areas of interest.

The codex was originally acquired by the sculptor Pompeo Leoni, a noted collector of Leonardo's manuscripts, who organised it in its present-day form. On Leoni's death, it was bought by a noble Lombard family who later donated it to the Ambrosiana Library in Milan. After

Napoleon's first invasion of Italy (1795), the Codex was taken to Paris, but was returned to Italy after the Congress of Vienna (1815).

The Windsor Collection

An extensive collection of drawings that range from anatomy to portraits, from landscapes to studies of trees, flowers, horses and other animals.

The collection was also originally catalogued by Pompeo Leoni, whose heirs sold it to the English patron of art Lord Arundel; it was acquired by the English Royal Family towards the end of the 17th century.

A long restoration of the manuscripts was completed recently; the pages have been ordered by theme and chronology according a the system devised by Carlo Pedretti, distinguished writer and expert on Leonardo.

Arundel Codex

These manuscripts concern mathematics in particular, but also include studies of astronomy, optics, physics and architecture, as well as Leonardo's notes on the theatrical representation of Politian's play Orpheus (staged in Milan in 1506).

The documents were acquired by the Earl of Arundel in 1600 and later donated to the Royal Society. In 1832 the collection passed to the British Museum, where it is today.

French Manuscripts

This is the name given to twelve small notebooks - originally acquired by the Ambrosiana Library in Milan - that Napoleon had taken to the Library of the Institut de France, where they are today. After their arrival in Paris, the manuscripts were catalogued by the abbot Giovan Battista Venturi, who identified them by letters from A to M.

Manuscript A, which treats painting in depth, is the most important. Manuscript E, which examines the flight of birds, is also of great interest, as are F and H, which deal with water, one of Leonardo's favourite themes ("water is the driving force of nature").

Foster Codices

Three folders of notes and drawings, mainly compiled between 1490 and 1505. The first two regard geometry, physics and mechanics; the third consists of miscellaneous notes on a wide selection of arguments and includes allegories, fables and recipes.

These codices are known by the name of the English proprietor who in 1876 donated them to the Victoria and Albert Museum in London.

Codex on the Flight of Birds

After the flight of Ludovico the Moor from Milan and the arrival of the French, Leonardo returned to Florence, where he dedicated himself to a methodical study of the flight of birds.

This collection, once part of the Arconati Donation to Milan's Ambrosiana Library, contains Leonardo's careful notes and reflections on the subject, accompanied by studies of physics and mechanics that explore the methods to construct Leonardo's famous flying machine.

The manuscript was transferred by Napoleon to the Library of the Institut de France, from which it was stolen and dismembered, so as to sell its precious sheets separately. After various vicissitudes, it was acquired by a Russian Prince, who left it in his will to the Italian Royal Family. The latter placed it in the Royal Library in Turin, where it is today.

Trivulzi Codex

This collection, which dates from between 1487 and 1490, contains Leonardo's notes written during his intensive study of Latin, which he undertook to read humanist and scientific works in the original.

The codex was bought by Prince Trivulzio in 1750 and, together with the entire Trivulzi Foundation, passed in 1935 to the Sforza Castle's Library in Milan.

The Madrid Codices

These two volumes, originally acquired by Pompeo Leoni, passed to the Spanish Crown in the 19th century. Donated to the Royal Library in Madrid, they disappeared for over a century, apparently because of a mistaken entry in the library's catalogue, and were only found by chance in 1966. A facsimile edition was published in 1973.

The first volume concerns mechanical theory and applied mechanics; the second includes architectural designs and drawings related to military engineering dating from between 1503 and 1505.

They are now in the National Library in Madrid, which also conserves a book of Leonardo's notes regarding the casting of Francesco Sforza's equestrian statue, commissioned to Leonardo by Ludovico the Moor. Though a clay model was made of the statue, the French occupation of Milan put an end to the project.

The Hammer Codex

Possibly the most famous of Leonardo's codices (and certainly that for which the most money has been spent), the Hammer Codex is the only one to have remained in private hands.

It is believed that in 1537 the collection was already in the possession of the sculptor Guglielmo della Porta. In 1717, the Earl of Leicester paid an enormous sum for the codex, which was transferred to Holkham

Hall, Norfolk. After an auction in 1980, it was bought by the American petrol millionaire Armand Hammer and moved to the United States; after another auction in 1994, it was acquired for an exorbitant price by Bill Gates, founder of the Microsoft Corporation and the man responsible for the success of the personal computer.

The central theme of the collection's thirty-six sheets is the movement of water and the effect of its flow on geography. Some designs regard astronomy and, in particular, the illumination of the Sun, the Moon and the Earth.

Leonardo the Engineer

Leonardo was a universal genius - or, to be more exact - a universal mind, an opinion generally accepted, thanks to the enormous quantity of studies, drawings, drafts and notes of his that have come down to us.

Though ingenuity and curiosity are a necessity for invention, experience and the observation form the basis of inductive methodology, in which Leonardo was a precursor of modern methods.

It is known that Leonardo entered the bottega of Verrocchio around 1470. Though Leonardo was naturally intelligent and creative, his schooling by the maestro provided his genius with a rational and ordered methodology. In the "workshops" of the time, apprentices explored many different fields of art and science including sculpture in marble and bronze, painting, the manipulation of metals, the working of wood and leather, hydraulic engineering, mathematics, the rudiments of architecture and so on.

Verrocchio's studio was one of the most famous of the city and Verrocchio himself was a cultured man, at home in literary salons and personal friend of many great artists.

The desire to study and experiment all fields of knowledge was a characteristic of the "new" Renaissance artist, who constantly had to resolve practical and technical problems. The knowledge of mathematics, for example, was necessary to study engineering (itself needed to resolve many difficulties); Leonardo, in fact, was taught algorithm calculus by Verrocchio.

He soon became known as a student capable of undertaking all types of work and, in 1478, was entrusted with designing a method whereby the Baptistery of Florence could be raised, without altering the original structure, to add a new base incorporating a flight of steps.

Our knowledge of Leonardo's early study and practise of engineering is scarce. He presumably read the principal treatises used at the time, including Valturius, Taccola and Francesco di Giorgio Martini. The first known technical drawings by Leonardo date from around 1482.

This was the year that Leonardo went to Milan; his invitation by Ludovico Sforza, lord of the city, was principally due to his knowledge of sculpture and smelting; Leonardo also sent Ludovico a letter of presentation, preserved in the Ambrosiana's Codex Atlanticus, in which he describes his abilities as an engineer and, from this time on, the principal activities of this great Tuscan were the exploration of every facet of engineering.

The celebrity of the famous "machines" devised, and built by Leonardo should not, however, be confused with the original paternity of these inventions. Many of the theories behind their conception were already known of in ancient Greece and were also studied by other engineers during the Renaissance. Leonardo's work must be considered in its entirety to understand its importance.

During the Middle Ages, man spent little time in explaining natural phenomena; the basis for scientific explanation was the divine order of the world. Man, created by God, considered himself superior to the rest of nature and this was enough to give a meaning to life. The objects used daily were produced "naturally" (though the materials used might be refined by man).

The idea that man could invent or discover beyond what was already known was considered paradoxical for, if creation was a divine prerogative, then invention by man could only be a contradiction in terms or, at the worst, the work of the devil.

Leonardo's philosophy was in complete contrast to such an ordered and unchangeable view of the cosmos. Nature existed, in Leonardo's view, not only to be reproduced (e.g., in painting and sculpture), but to be observed, manipulated and improved. In this, he was profoundly influenced by the classical Greek writers, whose books - in the process of be rediscovered and translated during the Renaissance - precede Christianity and investigate all aspects of nature.

The religion of ancient Rome saw a different divinity behind every event, while Christianity viewed a single God as the mover of any human or natural event; Leonardo believed in a divine presence, but also in man's capabilities. He knew and understood the technical progress that had slowly taken place between 1000 and 1400: the compass, the wind-mill, the water-mill, the printing press and so forth. He did not trust any theory that he could not verify himself and rejected any hypothesis that could not be corroborated. Discoveries by others were analysed and reproduced.

Leonardo's inventions were based on science and his enormous output in many different fields is, thus, not a surprise, a scientist at the time was obliged to scrutinise all spheres of knowledge known to man. Leonardo investigated human anatomy and mountain fossils, the flight of birds and artificial canals, grapevines and weapons of war. His fame derives from his rigorous methodological approach, but also from his excellent accomplishments as an artist.

Even those would denied to science the right to explain or imitate what was considered to be the divinity of creation, found it difficult to dismiss the artist of the Mona Lisa; it was, to a certain extent, his genius in art that rendered his genius in science credible and acceptable to his contemporaries. The recent invention of the printing press and the consequent spread of knowledge also served to spread his fame in a manner impossible in earlier times.

Leonardo is sometimes regarded as a mysterious soothsayer who foresaw aeroplanes and helicopters, tanks and divers, robots and industrial machinery. Nothing could be further from the truth: Leonardo was a scientist, whose inventions derived from his observations, and whose methods of work have been followed by those same programmers who, starting with two numbers (0 and 1), produce the software that permits this text to be read on a computer screen.

It is no accident that the inventor of the operating system that we are now using has acquired a Codex of Leonardo, defeating the competition of museums and other collectors; he has obtained a throwback to the science of Leonardo, whose methodology is still at the basis of human achievement today.

Leonardo and Warcraft

Leonardo's applications in the field of military engineering were part of an illustrious tradition of science going back to Archimedes and perfectly in line with the Renaissance as Leonardo thus put his ingenuity and knowledge at the service of the lord who commissioned his projects.

The art of war at Leonardo's time consisted mainly of field battles and sieges. Cannons, in particular, were increasingly used. Leonardo's contributions to warfare included both the remodelling of old devices and the invention of new ones.

The principal arms studied and designed by Leonardo included catapults, crossbows and multiple crossbows, mortars and cannons with various types of mountings and cylinders, military wagons and "assault machines" (e.g., moveable bridges and ladders).

Catapults, certainly one of the oldest types of ordnance in the history of warfare, were operated by means of springs or twisted cords and used to launch large stones towards the defenders.

The **crossbow** was a traditional battle weapon used to launch arrows. Leonardo designed various improved forms. The rapid-firing crossbow was linked to a large wheel at whose centre was placed a single archer, who had only to take aim and fire (this contraption permitted greater precision and increased velocity). The multiple crossbow was similar to the preceding ,except that various crossbows were attached to the wheel and could be fired a single archer. Leonardo also invented a giant crossbow.

Leonardo's inventions in the field of **battle wagons** were also exceedingly ingenious and include a battle-wagon with rotating scythes, propelled through a series of cogwheels driven by men hidden underneath (the alternative, having the wagons towed by horse, was impracticable, as the animals were likely to panic).

Leonardo also designed an **assault wagon** with cannons, whose outer form resembled an enormous turtle sprouting cannons on all sides. Leonardo's project shows the machine's interior, with four wheels driven by a total of eight men.

Leonardo's achievements in the field of **naval** warfare included diving apparatus, vessels driven by propellers and boats equipped with mobile battering rams and hooks.

The Art of War

The use of the cannon created a series of problems not easily resolved. The elevation of the cylinder began to assume a critical importance as precision in firing increased; the rack system used at the time restricted this movement (as it only permitted a few predetermined positions) and Leonardo therefore studied and elaborated a system to allow a cannon's trajectory to be adjusted with greater accuracy. This was of great importance infield battles, where the cannons aim had to be adjusted rapidly and precisely.

The introduction of the cannon, as a natural consequence, meant that fortresses needed to be protected from bombardment; during the Middle Ages, citadels had been built with impregnability from attack by man as their only requirement. Castles, which had by high walls and battlements, were often in places not easily accessible, but attack with cannon meant that this was of little importance if the garrison did not have similar arms to defend themselves.

Leonardo, following the steps of Leon Battista Alberti and Giuliano da Sangallo, began to modify the architecture of fortresses, which were reduced in height and built with ramparts strong enough to support the weight of the artillery necessary for defence.

The defending ordnance had also to be designed in such a fashion as to be hidden from the attackers, whilst have the greatest possible coverage possible. Ballistics into an important science and the designs of Leonardo clearly show how he had studied various possible trajectories of fire, coming to the conclusion that a parabolic one is the truest and most precise.

Leonardo and Water

Hydrology was one of Leonardo's favourite fields of interest; since his youth he had been impressed by the complex motion of water and fascinated by the possibility of modifying this movement to fulfil to benefit man.

Leonardo studied watercourses, riverbeds and currents in great depth; he was the first to correctly observe and understand the cause and effect of the different velocities of flow at the centre and banks of a water channel.

Leonardo's studies of hydrology were not abstract and theoretical, but were intended to provide him with a practical basis of knowledge which could be subsequently utilised. He did not limit himself to an attentive observation of nature, but simulated his results with models specifically constructed for this purpose.

To examine the flow of water, for example, he constructed canals with glass banks; the use of coloured water permitted him to easily gauge the effects of his experiments; he utilised similar methods to study waterfalls and whirlpools. "My work," Leonardo wrote more than once, "is similar to that of the physician, who studies pathology to prevent illness."

Leonardo also studied hydraulic engineering, a more circumscribed field, where is was simpler to take measurements and transform the results into mathematical formulae. His minute examinations of waterfalls and whirlpools permitted him to propose new solutions regarding the movement of water-mills and the design of their blades.

Leonardo's many achievements in this field include the following:

Reclamation of the Lomellina and the building of canals in the province of Novara.

Project of dams and locks on the river Isonzo, to flood the approaches to Venice in the case of a Turkish invasion (1499).

Design for the port of Cesena (1502).

Diversion of the Arno (1503-06), to render it navigablc and to control the floods and reclamation of the marshes.

Construction of piers in Genoa harbour.

Study for draining the marshes near Piombino.

Regulation of the river Adda (during his second Milanese sojourn), to supply the Martesana canal with water.

Drainage of the Pontine marshes near Rome, achieved by diverting the Portatore and Amaseno rivers into a canal parallel to the Via Appia (1513).

Regulation of the canal that joins the river Loire to Tours (1516) and drainage of the marshes at Sologne.

Entertainments

In the most brilliant Renaissance courts, the "lay" (non-religious) festivals were the events whereby a lord's generosity and magnificence was judged. The great princes of the day competed in offering ever more sumptuous entertainments to their courtiers and guests; these performances became complicated and grandiose testimonials to munificence and splendour.

Leonardo was especially appreciated for his capacity to construct mechanical scenery, with mobile scenes and waterworks. In 1489, for the wedding of Gian Galeazzo Sforza to Isabella of Aragon, Leonardo constructed an representing the planets and their movements: whenever a planet came near Isabella, the god who inhabited it rose from inside and recited verses written for the occasion by the court poet Bellincioni.

When Louis XII occupied Milan, Leonardo constructed complicated robots that rendered homage to the victors during their triumphal procession through the streets of Milan.

A small example may serve to show how precious Leonardo's eclectic genius was for a lord of the time: Lodovico Sforza, a lover of music, particularly enjoyed the lyre, to which he would listen for hours on end without tiring; Leonardo accordingly constructed a silver lyre, bizarrely shaped like a horse's skull, with a particularly harmonious and crystalline sound.

Vasari recounts that, during a performance at court, Leonardo exhibited himself with his ingenious instrument and "surpassed all the other musicians who had competed in playing their instruments."

The Mechanics

Mechanical engineering was another science in which Leonardo had brilliant intuitions. An analysis of cogwheels and movement was already been amply undertaken by Francesco di Giorgio, but Leonardo's great genius permitted him to resolve the practical problems that interpose themselves between man's ideas and their realisation.

Leonardo, for example, was the first to understand the problems created by the use of wood for the cogs at the time, which not only sapped enormous quantities of energy, but wore out quickly.

Leonardo attempted to give greater equilibrium to machines by inventing gears driven by helicoidal springs, which gave the movement of the cogwheels a greater stability. The study of movement, led him to invent a mechanism designed to modify the ratio of velocity, forerunner of the modern mechanical transmission.

Industrial machines

Leonardo designed many different types of industrial machines as interest in mechanics grew and the necessities of industrial production caused engineers to attempt the mechanisation of tasks until then carried out by man.

Among Leonardo's inventions were machines to work metal, a wooden apparatus to cut grapevines, various types of hydraulic mallets (though the first prototypes were already two-hundred years old) and a machine to clean and smooth both level and curved mirrors.

Leonardo was particularly interested in the textile industry, which was strongly expanding in both Lombardy and Tuscany. His projects for weaving machines attempted to solve common problems, though some of his solutions (such as an automatic spinning-wheel) were of difficult construction. Leonardo also left a series of detailed designs for machines designed to card and shear cloth.

PICCOBELLO
Creare, personalizzare, comporre

A cosa serve Piccobello

Piccobello è il principale ambiente di composizione con cui è stato realizzato il CD ROM che hai acquistato. Il software permette di legare e gestire insieme testo, immagini e suoni e di realizzare prodotti ipermediali per molti utilizzi.

Attualmente, le principali applicazioni multimediali per Windows 95 sono tutte molto simili e legate da uno stile comune. Manca quella decisa differenziazione editoriale che caratterizza il mondo della carta stampata. Inoltre vi è la tendenza ad imitare lo stile dei filmati televisivi, con il largo impiego di video inseriti nelle opere. Per queste ragioni, che non troviamo del tutto convincenti, abbiamo realizzato questo CD con Piccobello, un nuovo ambiente di composizione estremamente libero e aperto. Di più, in questo CD è allegata una copia completa di Piccobello per permetterti di fare da solo, di scrivere, vedere e comporre secondo le tue esigenze.

Già qualche anno fa la Silbermann Comunicazione ha presentato, per prima in Italia, una serie di ipertesti nella collana PIXEL Art su

71

Leonardo, Michelangelo, Botticelli ed altri soggetti, su dischetto da 3,5 pollici. I computers erano allora quasi sempre privi di lettore di CD ROM, ma con molte difficoltà e sacrificio di immagini e soluzioni, è comunque riuscita a preparare una serie di opere complete, pur nel ridotto spazio di un dischetto. Da allora, con il rapido diffondersi dei CD ROM e delle reti, la misura degli spazi elettronici fermi e in movimento si è molto accresciuta. È altresì fiorita una notevole produzione di opere multimediali con particolare riferimento ai temi e ai luoghi dell'arte.

Oggi, molti hanno già provato, sul proprio personal computer, opere multimediali e ipertesti ed è dunque possibile fare un passo in avanti: produrre da soli opere, soluzioni, invenzioni grafiche e ipermediali. Per questo vogliamo metterti a disposizione, se ti registri con la cartolina che hai trovato nella confezione, il "sistema" con cui è stato realizzato questo CD.

La Silbermann Comunicazione è convinta che molto sia ancora da fare, perfezionare e scoprire nel mondo della ipermedialità, non solo rispetto a nuovo hardware, ma soprattutto rispetto alle potenzialità, in gran parte ancora inesplorate, del software che già abbiamo.

Se anche tu vuoi scoprire quanto sia facile realizzare un opera multimediale e farne una tua, prova ad usare Piccobello. La Silbermann ha messo su questo CD ROM anche il principale programma con cui ha lavorato per realizzarlo.

A chi serve Piccobello

Piccobello serve a coloro che "non comprano a scatola chiusa", direbbe una vecchia pubblicità. Per tutti coloro che vogliono provare a scoprire anche i nuovi modi di scrittura ipermediale, componendo testo, suono e immagini. Fare lettere, raccolte, presentazioni, libri, comporre ricordi di viaggio e fotografie, non è poi così difficile.

Con questo sistema di composizione si può capire come sia potente l'ambiente di Windows 95 che si occupa di gran parte del lavoro da solo. Si può imparare a fare un proprio CD ROM e a verificare personalmente quali soluzioni possono essere usate e inventate per combinare immagini, movimento, suoni e testo.

Il programma è utile sia per chi comincia che per chi ha già una certa esperienza nel settore. La sua particolarità è di essere il primo programma ipermediale che si compone principalmente scrivendo tre lettere di istruzioni.

Serve per chi vuole realizzare un CD, un dischetto, un software di consultazione o di studio che sia utile, semplice e magari bello.

Come si usa Piccobello

Usare Piccobello per realizzare un'applicazione multimediale è molto semplice, basta avere le diffuse abilità di base nell'usare un programma di scrittura e disegno oltre alla conoscenza delle principali funzioni di Windows 95. Prima di tutto considera che il programma funziona utilizzando tre files:

PB.EXE

SD.EXE

SUPERD.EXE

I tre files devono essere messi nella directory \BIN, poi ciascuno si occupa di una parte del lavoro.

PB.EXE è il programma principale che deve essere lanciato da Windows 95, per attivarlo basta chiamarlo come si fa abitualmente con un qualunque programma di Windows 95 cioè con il comando APRI.

Cosa fa? Legge la lettera di istruzioni salvata col nome SILBER.PB ed esegue i comandi che vi sono scritti. Inoltre si occupa di lanciare SD.EXE e SUPERD.EXE quando gli scriviamo di farlo.

Noi cosa dobbiamo fare? Solo scrivere una lettera di istruzioni, chiamata SILBER.PB, con il nostro wordprocessor che contenga le cose

7 4

che PICCOBELLO deve fare e salvarla nella directory \LIB.

SD.EXE è il programma per mostrare le figure, attivato da PICCO-BELLO quando lo scriviamo nella lettera di istruzioni di Piccobello.

Cosa fa? Legge la sua lettera di istruzioni che abbiamo scritto e nominato BITMAP.LST.

Noi cosa dobbiamo fare? Scrivere una lettera, chiamata BITMAP.LST con il nostro wordprocessor che contenga le cose che fa SD.EXE e salvarla nella directory \LIB.

SUPERD.EXE è il programma che lancia i suoni, attivato da PIC-COBELLO quando lo scriviamo nella lettera di istruzioni di Piccobello.

Cosa fa? Legge le istruzioni che noi abbiamo preparato col nome SOUND.LST.

Noi cosa dobbiamo fare ? Solo scrivere una lettera, chiamata SOUND.LST con il nostro wordprocessor che contenga le cose che fa SUPERD.EXE e salvarla nella directory \LIB.

Sul disco ove si effettua lo sviluppo devono essere presenti cinque directory:

\BIN   contiene gli eseguibili
\LIB   contiene le lettere di istruzione
\HLP   contiene i files HLP
\WAV   contiene i files sonori
\BMP   contiene i files immagine

Le lettere d'istruzioni

La lettera per Piccobello

Cosa dobbiamo fare? Scrivere con il nostro wordprocessor una lettera d'istruzioni, chiamata SILBER.PB, che descriva le cose che PICCOBELLO deve fare. Poi lanciare PB.EXE, che automaticamente va a leggere il contenuto del file SILBER.PB.

La lettera per SD

Cosa dobbiamo fare ? Scrivere con il nostro wordprocessor una lettera d'istruzioni, chiamata BITMAP.LST, che descriva le cose che fa SD.EXE. Poi lanciare SD.EXE, che automaticamente va a leggere il contenuto del file BITMAP.LST

La lettera per SuperD

Cosa dobbiamo fare ? Scrivere con il nostro wordprocessor una lettera d'istruzioni, chiamata SOUND.LST, che contenga le cose che fa SUPERD.EXE. Poi lanciare SUPERD.EXE che automaticamente va a leggere il contenuto del file SOUND.LST

La lettera per Piccobello

Per cominciare è meglio leggere innanzitutto la lettera che trovi già pronta, cioè la lettera relativa alle istruzioni del CD ROM che hai acquistato. La trovi sul CD ROM assieme ai files del programma principale.

Potrai notare che è scritta in formato testo cioè nel cosiddetto (ASCII text), in termini di Word è il formato di solo testo. Dovrai mantenere sempre questo formato e salvare il file sempre con lo stesso nome. Per evitare di perdere l'originale (peraltro lo trovi sempre sul CD ROM), prima di sovrascrivere fanne una copia.

Per proseguire puoi cominciare a scrivere qualche istruzione diversa e vedere quali sono gli effetti del tuo intervento.

Ogni riga di istuzioni che scriviamo viene letta da Piccobello tranne quelle precedute dal # che sono ignorate. Pertanto possiamo scrivere ogni cosa dopo un #, mentre tutte la altre parole devono essere precedute dal comando di riga altrimenti il programma non funziona.

La lettera si compone di tante pagine principali che cominciano con START_FRAME e finiscono con END_FRAME. Ogni pagina principale ha un nome e corrisponde ad una schermata del programma. La pagina d'esempio qui sotto si chiama new.txt e lancia come immagine di fondo il file lingue.bmp. Come file grafici Piccobello usa solo quelli in formato Windows Bitmap (*.bmp).

Ogni pagina contiene i propri bottoni che svolgono le funzioni loro assegnate.

START_FRAME new.txt

```
START_GLOBAL                    # inizio definizioni globali
   BACKGROUND = NOME.BMP        # bitmap dello sfondo
   DEBUG = NO                   # vedi finestre invisibili
   DEBUG INTERNAL = NO          # solo per fase di sviluppo
   AUTOACT = SUPERD NOME        # esegui subito un programma
   EFX_MODE=0                   # tipo effetto
   EFX_INDEX=4                  # sottotipo effetto
   EFX_DELAY=1                  # durata effetto
END_GLOBAL                      # fine definizioni globali
```

```
#—————————————————————————————————————————
#      BOTTONE CHE CHIAMA UNA NUOVA PAGINA
#—————————————————————————————————————————
START_BUTTON              # inizio definizione bottone
   BUTTON_UP = it1.bmp    # nome bitmap bottone non attivato
   BUTTON_DW = it2.bmp    # nome bitmap bottone attivato
   POS_X = 0.058          # posizione bottone da sinistra a destra
   POS_Y = 0.9271         # posizione bottone da alto in basso
   LUN_X = 0.0            # lunghezza X per VOID
```

```
    LUN_Y = 0.0                # altezza Y per VOID
    PASS =NO                   # click o passaggio mouse YES o NO
    PAINT_MODE = SOLID         # mostra il colore nero
    DISPLACE_X = 0.0           # dipinge il bitmap spostato
    DISPLACE_Y = -0.0          # dipinge il bitmap spostato
    BTSOUND = BASE2.WAV        # suono associato al bottone
    ON_OFF = YES               # lascia attiva immagine del bottone
    SPECIAL_MODE= RERFAD       # per chiamare nuova pagina
    DATA= SECONDA.txt          # nome della nuova pagina da caricare
END_BUTTON                     # fine definizione bottone
#
#     BOTTONE CHE CHIAMA UNA NUOVA PAGINA
#     ATTIVO SU UN AREA DELLO SCHERMO
#

START_BUTTON                   # inizio definizione bottone
    BUTTON_UP = VOID           # area attiva (VOID) dello schermo
    BUTTON_DW = NOME.bmp       # nome bitmap bottone attivato
    POS_X = 0.023              # posizione bottone da sinistra a destra
    POS_Y = 0.942              # posizione bottone da alto in basso
    LUN_X = 0.03               # lunghezza X per VOID
    LUN_Y = 0.052              # altezza Y per VOID
    PASS = NO                  # click o passaggio mouse YES o NO
```

```
    PAINT_MODE = TRANSPARENT  # non mostra il colore nero
    DISPLACE_X = -0.0045        # dipinge il bitmap spostato
    DISPLACE_Y = -0.006         # dipinge il bitmap spostato
    SPECIAL_MODE = REREAD  # chiama nuova pagina
    DATA = CREDITI.txt          # nome della nuova pagina
END_BUTTON
# ————————————————————————————————
#       BOTTONE CHE LANCIA UN PROGRAMMA
# ————————————————————————————————
START_BUTTON                      # inizio definizione bottone
    BUTTON_UP = NOME.bmp    # nome bitmap bottone
    BUTTON_DW = NOME2.bmp  # nome bitmap bottone
    POS_X = 0.806              # posizione bottone da sinistra a destra
    POS_Y = 0.815              # posizione bottone da alto in basso
    LUN_X = 0.0                # lunghezza X per VOID
    LUN_Y = 0.0                # altezza Y per VOID
    PASS = NO            # click mouse o passaggio mouse YES o NO
    PAINT_MODE = TRANSPARENT
    ACTION = winhlp32 L1.HLP  # azione numero 1
    ACTION= SD PIPPO          # azione numero 2
END_BUTTON                        # fine definizione bottone
END_FRAME
```

Specifica delle funzioni

Il nome della figura di sfondo: BACKGROUND = NOME.BMP

Mettere il nome del bitmap (file grafico) che fa da sfondo alla pagina. Le misure del bitmap possono essere a piacere, ma se vogliamo averlo a tutto schermo mettere l'immagine a 640 per 480. La definizione supportata da questa versione di Piccobello è quella a 256 colori.

Funzione per la fase di sviluppo: DEBUG =

Se attiva YES consente di vedere la aree bottone definite con VOID e una schermata di informazioni sulla posizione e funzione dei bottoni. Mettere YES in fase di sviluppo e mettere NO in fase di consultazione finale.

Autoact

L'istruzione AUTOACT lancia un programma eseguibile direttamente all'apparire della pagina cui si riferisce.

Senza attendere che al comparire della pagina si esegua un azione premendo un bottone, il suono (AUTOACT = SUPERD nome file) o l'immagine (AUTOACT = SD nome file) o un altro eseguibile viene automaticamente lanciato al comparire dell'immagine.

EFX_MODE

Indica l'effetto che si vuole associare all'apertura della pagina. Per non usare la funzione basta cancellarla dalla lettera o mettere davanti un #

EFX_MODE=1

associato con EFX_INDEX=0 da effetto tenda a scatti

associato con EFX_INDEX=1 da effetto tenda a scivolo

EFX_DELAY=1000 da la durata, il valore più lento è mille.

EFX_MODE=0

associato con EFX_INDEX= 0 effetto a scatti da sinistra

associato con EFX_INDEX= 1 effetto a scatti a serpente

associato con EFX_INDEX= 2 effetto a scatti da destra

associato con EFX_INDEX= 3 effetto a quadri casuali

associato con EFX_INDEX= 4 effetto a scatti concentrici

associato con EFX_INDEX= 5 effetto a scatti diagonali

associato con EFX_INDEX= -1 casualmente uno dei precedenti

EFX_DELAY=1000 da la durata, il valore più lento è mille.

E'possibile associare cinque azioni ad uno stesso bottone.

Per terminare l'esecuzione di Piccobello, l'azione da associare è:

ACTION=QUIT. Per ottenere un'uscita più morbida sono previste le opzioni:

ACTION=DISSOLVE1. Permette di sfumare l'uscita.

ACTION=DISSOLVE2. Permette di chiudere a quadrati neri.

Il nome del disegno dei bottoni

BUTTON_UP=NOME.bmp: è il nome del bitmap che comparirà sopra il disegno dello schermo per primo come disegno sulla cui area è attivo il mouse, con l'azione che andremo ad associare nelle righe seguenti. Questo bottone compare subito.

Mentre si preme il primo bottone compare l'immagine del disegno successivo il cui file viene indicato in: BUTTON_DW=NOME2.bmp.

Se alla funzione ON_OFF è indicato YES, allora compare il primo disegno, poi il secondo e questo rimane sullo schermo. Se invece alla funzione ON_OFF è indicato NO, allora prima compare il primo disegno, poi il secondo e poi torna il primo. L'effetto della modalità NO è più veloce ma talvolta non si fa in tempo a notarlo.

Posizione dei bottoni

POS_X = 0.0 posizione sullo schermo del bottone da sinistra a destra
POS_Y = 0.0 posizione sullo schermo del bottone dall' alto in basso
Con i valori a zero la posizione è nell'angolo in alto a sinistra.

Se al posto di un bottone usiamo un area attiva (VOID) la posizione vale per questa e la dimensione si fissa con LUN_X e LUN Y.

Grandezza delle aree VOID

Al posto del bitmap di un bottone possiamo creare un area attiva dello schermo, cioè sensibile al mouse, detta area VOID che associa l'azione al mouse come se si trattasse di un bottone.

La posizione dell'area si fissa col comando POS_X POS_Y

La grandezza dell'area si da con:

LUN_X = 0.0 dimensione che fissa la lunghezza

LUN_Y = 0.0 dimensione che fissa l'altezza

L'uso del mouse

Possiamo associare un azione al mouse quando si preme il suo tasto sinistro e allora il comando sarà:

PASS=NO

oppure associare l'azione al semplice passaggio del mouse nella zona del bottone o dell'area VOID e allora il comando sarà:

PASS=YES

Il bottone e il colore nero

Se il bottone è di forma quadrata o rettangolare usare normalmente l'opzione:

PAINT_MODE=SOLID

In questo modo è attiva tutta l'area del bottone.

Capita pero spesso di avere a che fare con bottoni di forma non quadrata o rettangolare. In questi casi, se si crea un bottone con colore nero nelle parti di riempimento del rettangolo del bitmap, l'immagine sullo schermo risulta attiva e viene mostrata solo nelle aree non nere e quindi lo scontorno è automatico. Per ottenere questo effetto usare:

PAINT_MODE=TRANSPARENT

Spostare un bottone

Per ottenere molteplici effetti è possibile spostare l'area ove compare il secondo bottone. Per ottenere questo risultato occorre assegnare i valori dello spostamento: il valore zero indica che non vi è alcun spostamento.

DISPLACE_X = 0.0 indica la misura dello spostamento orrizzontale

Il suono associato ad un bottone

E' possibile assegnare un suono al bottone semplicemente indicando il nome del FILE.WAV dopo il comando:

BTSOUND = NOME.WAV

Quando il mouse agisce viene prodotto il suono. Il file sonoro deve essere collocato nella directory \WAV interna alla directory dell'applicazione.

Per eseguire invece file sonori non legati al bottone e propri associare al bottone una azione che chiami SD e il nome del file.WAV.

Chiamare un'altra pagina

Le principali azioni collegabili ad un bottone o ad un area VOID sono:

1) chiamare un altra pagina e allora indicheremo:

SPECIAL_MODE= REREAD

associato al comando:

DATA = NOME.txt

dove nome.txt è il nome della nuova pagina da chiamare.
Se non vogliamo chiamare un'altra pagina col bottone queste indicazioni non devono esserci o devono essere precedute da un # che ne impedisce la attivazione.

2) chiamare un programma e allora useremo ACTION

Area VOID

Ogni bottone si compone di due bitmap. Al posto di uno o di entrambi i bottoni del bitmap, possiamo creare un area attiva dello schermo, cioè sensibile al mouse, detta area VOID che associa l'azione al mouse come se si trattasse di un bottone.

Per ottenere questo risultato basterà indicare al posto del nome di un file.bmp la parola VOID:

BUTTON_UP = VOID

BUTTON_DW = VOID

La posizione dell'area si fissa col comando POS_X e POS_Y

La grandezza dell'area VOID si da col comando LUN_X e LUN Y.

Lanciare un programma con un bottone

Le principali azioni collegabili ad un bottone o ad un area VOID sono:

1) chiamare un altra pagina e allora useremo SPECIAL_MODE

2) chiamare un programma e allora useremo:

ACTION=NOME.EXE ove il nome indica il programma da lanciare.

Tipicamente il programma è stato testato per lanciare:
- suoni con il programma Superdrin ACTION=SUPERD nome
- immagini con ACTION=SD nome
- testi con ACTION=WINHLP32 NOME.HLP.

È possibile associare due azioni ad uno stesso bottone.

Per terminare l'esecuzione di Piccobello, l'azione da associare è:
  ACTION=QUIT

La lettera per SD

Quando lanciamo un immagine sopra il bitmap che fa da sfondo ad ogni pagina (un bitmp sopra un'altro bitmap) SD legge il file BITMAP.LST

BITMAP.LST è composto da una serie di azioni che cominciano con un nome messo tra parentesi quadra che denomina l'azione:

[occhio] nome messo tra parentesi quadra che denomina l'azione

500 tempo che indica quanto a lungo l'immagine resta sullo schermo

0 valore che è zero se non vi è cornice intorno all'immagine e che è 1 se vi è cornice.

nome.bmp 0.191 0.631 TITOLO nome del bitmap che si vuole lanciare seguito dalla posizione sullo schermo dell'immagine e dal suo titolo se l'immagine è bordata. Il primo valore numerico esprime la posizione da sinistra verso destra e il secondo dall'alto al basso.

[end] parola end messa fra parentesi quadra che segna la fine dell'azione.

Di seguito inizierà un'altra azione, come nell'esempio che segue:

```
[azione1]
2000
1
figura1.bmp 0.1 0.1 TITOLO1
[end]
[azione2]
3000
0
figura2.bmp 0.2 0.2 TITOLO2
[end]
[azione3]
4000
1
figura3.bmp 0.7 0.1 TITOLO3
[end]
```

Un'azione può avere più figure che vanno indicate una di seguito all'altra. Es:

```
[azione1]
100
1
fig1.bmp 0.0 0.0 nome_fig1
fig2.bmp 0.0 0.1 nome_fig2
fig3.bmp 0.0 0.2 nome_fig3
[end]
```

Se vogliamo cambiare il tempo durante il quale restano sullo schermo i bitmap successivi al primo, aggiungiamo il comando TIMER, seguito dal valore del tempo. Es:

```
[azione1]
100
1
fig1.bmp 0.0 0.0 nome_fig1
TIMER 800
fig2.bmp 0.0 0.1 nome_fig2
fig3.bmp 0.0 0.2 nome_fig3
TIMER 500
```

9 0

```
fig4.bmp 0.0 0.1 nome_fig4
fig5.bmp 0.0 0.2 nome_fig5
TIMER 300
fig6.bmp 0.0 0.1 nome_fig6
fig7.bmp 0.0 0.2 nome_fig7
[end]
```

E'utile ricordare che per avere l'azione occorre predisporre i file.bmp nella directory \BMP.

La lettera per SuperDrin

Quando lanciamo un suono con un bottone SUPERD legge il file SOUND.LST

SOUND.LST è composto da una serie di azioni che cominciano con un nome messo tra parentesi quadra che denomina il suono.

[suonata] nome messo tra parentesi quadra che denomina l'azione suono

nome.wav nome del file sonoro che si vuole lanciare

[end] parola end messa fra parentesi quadra che segna la fine dell'azione

Di seguito inizierà un'altra azione, come nell'esempio che segue.
[primo]
14001.wav
[end]
[uno]
SCAR2B.wav
[end]
E' bene ricordare che per avere l'azione suono occorre predisporre i file.wav nella directory \WAV

Cosa non fa Piccobello

Piccobello non gira, al momento in cui si scrive, sotto Windows 3.1 e precedenti. Piccobello è il motore che tiene legati ipertesti, immagini e suoni. Il software non permette di preparare le immagini, i suoni e i testi.

Per funzionare Piccobello necessita delle librerie **WIN G** che sono già installate in questo computer se hai installato il software del libro.

Le immagini devono essere predisposte con il tuo programma di disegno preferito per Windows e salvate in formato BMP con paletta a 256 o a 16 colori. Dopo averle preparate mettile nella directory dove ci sono i files di Piccobello all'indirizzo \BMP.

I suoni devono invece essere registrati con il tuo programma preferito con cui realizzi i files compatibili con l'estensione WAV.

Gli ipertesti vanno preparati, completi di tutti i loro rimandi, con il tuo editor preferito per Windows 95 e salvati con il formato **RTF** (Rich Text Format, questo formato è gestito in maniera completa da Word 6 e versioni successive). Il file RTF deve essere preparato secondo le specifiche previste per i Windows 95 Help e per fare questo ti devi procurare un manuale o guardare come è fatto il file d'esempio IPER.RTF allegato a questo programma..

Non basta, e qui non ti possiamo aiutare, ti devi procurare un programma, di piccole dimensioni, nominato **HCP.EXE** o **HC31.EXE** della Microsoft che è solitamente compreso nel pacchetto software dei compilatori per Windows 3.1 e di cui peraltro la Microsoft stessa incoraggia l'utilizzo e di cui fino a qualche tempo fa dava disponibilità gratuita. E' anche possibile utilizzare il programma Microsoft predisposto per Windows 95 che comodamente prepara file di Help senza limiti di memoria. Se vuoi ricercarlo in Internet il suo nome è: **HCRTF.EXE**

Successivamente prepara un file, di cui troverai qui un esempio, con estensione HPJ. Questo file contiene il nome del file RTF che hai preparato e i comandi per la sua trasformazione in file compatibile con Winhelp.

Lancia HC31.EXE, o il nuovo HCRTF.EXE per Windows 95 e vedrai che il tuo file RTF sarà riscritto con l'estensione HLP pronta per l'uso. Una volta trasformato il testo, dal formato RTF al formato HLP, sarà Piccobello a lanciarlo, tramite il programma **WINHLP.EXE**, o **WINHLP32.EXE** di Windows 95.

La licenza d'uso personale

Pensare, domandare, trovare, creare e comporre nello spazio della propria tranquilla sfera privata. Una libertà preziosa e quando essa si realizza puoi usare Piccobello senza limiti, nulla è dovuto a nessuno, se non a tutti gli uomini insieme. Se ti riconosci in questo profilo, invia la registrazione come privato, che trovi nelle ultime pagine del libro che hai acquistato e tutto è ok gratuitamente. Non vi sono spese di registrazione, da parte tua, diverse da quelle del francobollo con cui ti registri. La registrazione è peraltro indispensabile per usare legalmente la tua copia personale di Piccobello. Ricorda che la licenza d'uso personale, riservata agli acquirenti del libro gratuitamente, é incedibile e non ti da diritto ad ottenere dalla Silbermann Comunicazione assistenza di alcun tipo, né hai garanzie sul software, sul suo funzionamento, sul suo impiego, sugli eventuali danni diretti o indiretti che il suo uso dovesse provocare.

Peraltro, riceveremo volentieri per comodità esclusivamente via E-mail: **silbermann@centrohl.it**, le tue impressioni o esempi di tue realizzazioni con le tre lettere di Piccobello. Sarà interessante il confronto con le moltissime possibilità cha offre Piccobello. Nei limiti del possibile cercheremo di rispondere a tutti.

Se ritieni Piccobello utile per un' applicazione da distribuire fuori della tua sfera personale, troverai sul disco allegato al libro le indicazioni necessarie alla registrazione di una licenza professionale.

PICCOBELLO
User's Guide

What Piccobello does

Piccobello is the principal software used in the production of the CD-ROM you bought and, through its management of graphics, text and sound, lets you create multimedia products for many uses.

The main multimedia applications used under Windows 95 have similar characteristics, a common style and a tendency to imitate television films by inserting an exaggerated number of video clips. Piccobello – included as a free utility in this CD-ROM – was created to avoid these defects and is, in fact, a user-friendly application that provides a powerful tool for creating your own personalized presentations.

With its PIXEL Art applications – including programs on Leonardo, Botticelli and Michelangelo – Silbermann was the first Italian software house to produce a series of hypertextual applications. As the CD-ROM had not yet become the norm for personal computers, the PIXEL Art series was designed for 1.44 MB diskettes; but, despite the limitations of space, comprised a complete multimedia product.

Today, hypertextual applications and multimedia programs are the norm on most personal computers and it is now possible to produce such programs by yourself in the comfort of your home: Piccobello, which requires you only to send a post-card to register, is the same system used to produce this CD-ROM.

What does Piccobello do?

Silbermann Comunicazione is convinced that there is much still to be done, perfected and discovered in the world of multimedia; not only in terms of new hardware, but – above all – with in terms of the, still largely unexplored, potential of the software is already on your computer. If you would like to discover how easy it is to create a multimedia program on your own, try using Piccobello. With this CD-ROM, Silbermann also offers you the main program used to create it.

Who should use Piccobello?

Piccobello is an application for those who want to know what they buy before they buy it. It is software that can be used by anyone who would like to create multimedia applications with text, graphics and sound: letters, collections, presentations, books, travel journals and photographs are no longer a problem. With Piccobello, you will understand the full potential of Windows 95 (which does much of the necessary work on its own). You can learn how to create a CD-ROM as well as verify methods to combine images, movement, sound and text.

Piccobello can be of use for both beginners and experienced Windows users; it is particularly easy and fast, as it is the first multimedia application based on just three configuration files. It can be used by anyone who wants to realize a CD, a diskette or a sottware program that is useful, simple and pleasing. It can be used to create and experiment how easy it is to personalize an application or create a new one.

How to use Piccobello

Piccobello is simple and user-friendly: you only need a basic knowledge of the principal functions of Windows 95 (including a text editor and basic graphics program).

The program uses three basic files:

PB.EXE
SD.EXE
SUPERD.EXE

Each of these three applications, which must be placed in the directory **\BIN**, runs a part of the program.

PB.EXE is the principal application that must be run under Windows 95, in the same way as all other Windows 95 programs (i.e., with the command "Open"). What does it do? PB.EXE reads the configuration file named SILBER.PB and performs the commands it contains. PB.EXE also launches SD.EXE and SUPERD.EXE when necessary. What must you do? With a text editor, write a configuration file containing the commands for PICCOBELLO and then save it (with the name SILBER.PB) in the \LIB directory.

SD.EXE is the Piccobello's graphics viewer and is activated by the main program when requested to do so by Piccobello's configuration file. What does it do? SD.EXE reads the configuration file named BITMAP.LST and performs the commands it contains. What must you do? With a text editor, write a configuration file containing the commands for SD and then save it (with the name BITMAP.LST) in the \LIB directory

SUPERD.EXE is the program that activates sound files, and is run by PICCOBELLO when requested to do so by Piccobello's configuration file. What does it do? SUPERD.EXE reads the configuration file named SOUND.LST and performs the commands it.What must you do? With a text editor, write a configuration file containing the commands for SUPERD and then save it (with the name SOUND.LST) in the \LIB directory

The disk where Piccobello is located must include the following five directories:

\BIN	contains executable files
\LIB	contains configuration files
\HLP	contains help files
\WAV	contains sound files
\BMP	contains graphic files

The configuration files

The configuration of Piccobello

What must you do? With your favourite word-processor, write a configuration file (SILBER.PB) that describes what actions Piccobello should perform; then run PB.EXE, which automatically reads the commands contained in SILBER.PB.

The configuration of SD

What must you do? With your favourite word-processor, write a configuration file (BITMAP.LST) that describes what actions Piccobello should perform; then run SD.EXE, which automatically reads the commands contained in BITMAP.LST.

The configuration of SuperD

What must you do? With your favourite word-processor, write a configuration file (SOUND.LST) that describes what actions Piccobello should perform; then run SUPERD.EXE, which automatically reads the commands contained in SOUND.LST.

Piccobello's configuration file

The easiest way to begin is to read your Silbermann CD-ROM's Piccobello configuration file. You will find it on the CD together with the main Piccobello program files. The configuation file is an ASCII text file

101

and can be open with Notepad or your favourite text editor. If you use Word for Windows, you must remember to save the file in text-only format. It is necessary that the Silbermann program configuration files always be saved with their original name in this format. You can make a copy of the files before overwriting them, though you can always find the originals on your CD-ROM. To continue, you can begin to add new instructions and see what effect these new lines have on Piccobello.

Piccobello reads every line in the file except those that begin with the symbol "#" (without the quotation marks), which are ignored. Lines preceded by "#" may thus include any comment you wish to include, while all other lines must be preceded by a command line (otherwise the program doesn't work).

The file is composed of many principal frames that begin with **START_FRAME** and finish with **END_FRAME**. Every principal frame has a name and corresponds to a screen of the program. The example below is called NEW.TXT and launches the background image contained in the file LINGUE.BMP. Please note that Piccobello only uses graphics saved in Windows bitmap format (*.bmp).

Every frame contains buttons that perform the commands assigned to them.

START_FRAME new.txt
```
START_GLOBAL                          # global definitions: start
 BACKGROUND=NOME.BMP                  # background bitmap
```

```
DEBUG=NO                    # show invisible windows
DEBUG INTERNAL= NO          # only for software programmers
AUTOACT=SUPERD NOME         # immediately run a program
EFX_MODE=0                  # effect: type
EFX_INDEX=4                 # effect: sub-type
EFX_DELAY=1                 # effect: duration
END_GLOBAL                  # global definitions: end
```

```
#————————————————————————————————————————
#        BUTTON TO LOAD A NEW FRAME
#————————————————————————————————————————
START_BUTTON                # button definition: start
BUTTON_UP=it1.bmp           # bitmap button name (not activated)
BUTTON_DW=it2.bmp           # bitmap button name (activated)
POS_X=0.058                 # button position from left to right
POS_Y=0.9271                # button position from top to bottom
LUN_X=0.0                   # VOID length (X)
N_Y=0.0                     # VOID height (Y)
PASS=NO                  # automatic (YES) or manual (NO) mouse click
PAINT_MODE=SOLID            # shows the color black
DISPLACE_X=0.0              # colors the displaced bitmap
DISPLACE_Y=-0.0             # colors the displaced bitmap
BTSOUND=BASE2.WAV           # sound associated with the button
ON_OFF=YES                  # leaves the button's original image active
SPECIAL_MODE=REREAD         # loads a new frame
DATA =SECONDA.txt           # name of the new frame
END_BUTTON                  # button definition: end
```

103

```
#————————————————————————————————————
#      BUTTON THAT MAKES A NEW FRAME ACTIVE
#      IN AN AREA OF THE SCREEN
#————————————————————————————————————

START_BUTTON              # button definition: start
 BUTTON_UP=VOID           # active area (VOID) of the screen
 BUTTON_DW=NOME.bmp # name of the active bitmap button
 POS_X=0.023              # button position from left to right
 POS_Y=0.942              # button position from top to bottom
 LUN_X=0.03               # VOID length (X)
 LUN_Y=0.052              # VOID height (Y)
 PASS=NO              # automatic (YES) or manual (NO) mouse click
 PAINT_MODE=TRANSPARENT # do not show the color black
 DISPLACE_X=-0.0045       # colors the displaced bitmap
 DISPLACE_Y=-0.006        # colors the displaced bitmap
 SPECIAL_MODE=REREAD # calls a new frame
 DATA=CREDITI.txt         # name of the new frame
END_BUTTON
# ————————————————————————————————————
#      BUTTON THAT LAUNCHES A PROGRAM
# ————————————————————————————————————
START_BUTTON              # button definition: start
 BUTTON_UP=NOME.bmp # bitmap button name
 BUTTON_DW=NOME2.bmp # bitmap button name
 POS_X=0.806              # button position from left to right
 POS_Y=0.815              # button position from top to bottom
 LUN_X=0.0                # VOID length (X)
```

104

```
LUN_Y=0.0                        # VOID height (Y)
PASS=NO                  # automatic (YES) or manual (NO) mouse click
PAINT_MODE=TRANSPARENT
COMMAND=winhlp32 L1.HLP  # command number 1
COMMAND =SD PIPPO        # command number 2
END_BUTTON               # button definition: end
END_FRAME
```

SD's configuration file

When an image is launched on top of the bitmap set as the background for every frame (i.e., one bitmap over another), SD reads the file BITMAP.LST that contains a series of commands that begin with a name, placed betyouen square brackets, that defines the command.

[occhio] name placed betyouen square brackes that defines the command.

500 the time that the image remains on the screen.

0 a value that determines whether the image is shown full screen (0) or in a window (1).

nome.bmp 0.191 0.631 TITOLO name of the bitmap to be launched, folloyoud (in the case of a window) by the screen position and the window name. The first numeric value refers to the window position from left to right and the second to the window position from top to bottom.

[end] word placed betyouen square brackets that ends the command.

Another command can be programmed to begin immediately after the preceding one, as shown in the example blow:

```
[command1]
2000
1
fig1.bmp 0.1 0.1 TITOLO1
[end]
[command2]
3000
0
fig2.bmp 0.2 0.2 TITOLO2
[end]
[command3]
4000
1
fig3.bmp 0.7 0.1 TITOLO3
[end]
```

A command may run several different images, which must be listed immediately after each other, as follows:

```
[command1]
100
1
fig1.bmp 0.0 0.0 nome_fig1
fig2.bmp 0.0 0.1 nome_fig2
```

```
fig3.bmp 0.0 0.2 nome_fig3
[end]
```

Add the command TIMER, followed by numeric variable, to vary the time that the different bitmaps remain on the screen. Example:

```
[command1]
100
1
fig1.bmp 0.0 0.0 nome_fig1
TIMER 800
fig2.bmp 0.0 0.1 nome_fig2
fig3.bmp 0.0 0.2 nome_fig3
TIMER 500
fig4.bmp 0.0 0.1 nome_fig4
fig5.bmp 0.0 0.2 nome_fig5
TIMER 300
fig6.bmp 0.0 0.1 nome_fig6
fig7.bmp 0.0 0.2 nome_fig7
[end]
```

Remember that the graphics files must be saved in bitmap format (*.bmp) to the \BMP directory.

Configuration of SuperDrin

When a sound button is activated, SUPERD reads the configuration file SOUND.LST

SOUND.LST contains a series of commands that each begin with a name – placed between square brackets – that defines the command

[suonata] name placed between square brackets that defines the command.
nome.wav name of the sound file to be loaded.
nome.wav name of the sound file to be loaded a second time.
[end] word placed between square brackets that ends the command.

Another command can be placed immediately afterwards, as shown in the following example:

[primo]
14001.wav
14001.wav
[end]
[uno]
SCAR2B.wav
[end]
[maestro]
parolem.wav
[end]

Remember that the sound files saved in audio wave format (*.wav) to the \BMP directory.

What Piccobello doesn't do

Piccobello does not, at the moment run under Windows 3.11 or previous.

Piccobello is the "motor" that runs the graphics, text and sound. It does not permit the independent creation of graphics, text and sound. To run, Piccobello needs the WIN G libraries (which are automatically installed on your computer during the installation of the software contained in the CD-ROM).

The images used by Piccobello should be created with your favourite Windows 95 graphics program (e.g. Microsoft Paintbrush) and saved, in Windows bitmap format (*.BMP) with a 16 or 256 color palette, in Piccobello's /BMP directory. The sound files used by Piccobello should be created with your favourite Windows 95 sound recording program (e.g. Microsoft Sound Recorder) and saved – in Windows audio wave format (*.WAV) – in Piccobello's /WAV directory.

Hyptertext files should be prepared and saved, complete with cross-references, in Rich Text format (*.RTF), which is completely compatible with Microsoft Word for Windows version 6.0 and later. These RTF files must be compatible with Windows 95 Help specifications; the IPER.RTF is included as an example. You must also obtain a small additional file (either HCP.EXE or HC31.EXE, both distributed by Microsoft). This file is normally included in software packages for Windows 3.1 computer programmers and its use is, in fact, encouraged by Microsoft, who until recently permitted it to be downloaded free of charge. HCP.EXE or HC31.EXE may be substituted by the file HCRTF.EXE. This Microsft application – which is available on the Internet – makes it possible to create Windows 95 Help files with no memory limits.

After obtaining one of the preceeding three applications, create a file with the extension SILBERMANN, using the example you can find on the CD-ROM. This file should contain the name of your RTF file and the commands necessary for its transformation into WinHelp-compatible file. After running either HCP.EXE, HC31.EXE or HCRTF.EXE, your RTF file will be automatically rewritten as a Windows Help file, with the extension HLP. Once the format has been changed from RTF to HLP, Piccobello will use the native Windows 95 programs WINHLP.EXE and WINHLP32.EXE to load it together with the instructions contained in the three configuration files.

Software License for Personal Use

To think, ask, find, create and compose in your own home is a precious liberty and one which we hope that Piccobello can be of help in this.

The Software License for Private Use, which you will find in the last pages of the book you bought, is free and entitles you to legally use your personal copy of Piccobello. The only cost of registration is that of the stamp to send the post-card.

Remember that the Software License for Private Use binds the customer who opens this Software package and is granted without payment in return for the purchase of the CD-ROM which contains the Piccobello program. This License cannot be transferred to other persons and confirms no title or ownership in the Software; it furthermore does not require Silbermann Comunicazione S.r.l. to provide any technical assistance or furnish any guarantee with regard to the Software's functionality, use or damages – either direct or indirect – that it might cause.

Silbermann S.r.l. encourages its customers to provide feedback through E-mail (**silbermann@centrohl.it**) with regard to the potential offered by the program and will attempt to respond to all communications received.

✂

CARTOLINA DI REGISTRAZIONE

© 1996 Silbermann Comunicazione SRL. Firenze. Ver 2/96/4Personal ISBN 88-86442-05-X

❏ Sì, ho intenzione di utilizzare il vostro programma per creare con il mio computer applicazioni multimediali, per uso esclusivamente personale alle condizioni che ho letto e approvato. Per favore registrate gratuitamente a mio nome una copia di PICCOBELLO. Questi dati saranno inseriti nel database della Silbermann Comunicazione e potranno essere ceduti a terze parti. In accordo con le regole sulla protezione della privacy adottate dal Consiglio d'Europa se non vuoi che siano eventualmente comunicati, metti una crocetta qui ❏.

Nome e cognome _____

Indirizzo _____

Città _____ C.A.P. _____ Prov. _____

E-Mail _____

Inviare a: SILBERMANN COMUNICAZIONE SRL
Via Bastianini, 19 50014 Fiesole (Firenze)

PICCOBELLO REGISTRATION FORM

© 1996 Silbermann Comunicazione SRL. Firenze. Ver 2/96/4Personal ISBN 88-86442-05-x

☐Yes, I wish to use Piccobello for my personal use. Please register, <u>free of charge</u>, one copy of Piccobello.

Name _____

Address _____

City _____ ZIP Code _____ State _____

E-Mail _____

Send to: SILBERMANN COMUNICAZIONE SRL
Via Bastianini, 19 50014 Fiesole (Firenze)ITALY